Le miroir de Carolanne

Dans la même collection :

La Première Fois de Sarah-Jeanne
Le cœur perdu d'Élysabeth
Le roman de Cassandra
Le vertige de Gabrielle

Marie Gray

Le miroir de Carolanne

roman

Catalogage avant publication de Bibliothèque et Archives nationales du Québec et Bibliothèque et Archives Canada

Gray, Marie, 1963-
Le miroir de Carolanne
(Oseras-tu?)
Pour les jeunes de 14 ans et plus.
ISBN 978-2-89455-476-0
I. Titre. II. Collection: Gray, Marie, 1963- . Oseras-tu?.
PS8563.R414M57 2011 jC843'.54 C2011-942077-5
PS9563.R414M57 2011

Nous reconnaissons l'aide financière du gouvernement du Canada par l'entremise du Fonds du livre du Canada (FLC) ainsi que celle de la SODEC pour nos activités d'édition. Nous remercions le Conseil des Arts du Canada de l'aide accordée à notre programme de publication.

Patrimoine canadien Canadian Heritage Canada Conseil des Arts du Canada Canada Council for the Arts SODEC Québec

Gouvernement du Québec — Programme de crédit d'impôt pour l'édition de livres — Gestion SODEC

Conception graphique: Christiane Séguin
Révision: Lysanne Audy

Dépôt légal — Bibliothèque et Archives nationales du Québec, Bibliothèque et Archives Canada, 2011
ISBN: 978-2-89455-476-0
ISBN PDF: 978-2-89455-478-4
ISBN ePub: 978-2-89455-477-7

Distribution et diffusion
Amérique: Prologue
France: De Borée/Distribution du Nouveau Monde (pour la littérature)
Belgique: La Caravelle S.A.
Suisse: Transat S.A.

Guy Saint-Jean Éditeur inc.
3440, boul. Industriel, Laval (Québec) Canada. H7L 4R9 • 450 663-1777
Courriel: info@saint-jeanediteur.com • Web: www.saint-jeanediteur.com

Guy Saint-Jean Éditeur France
30-32, rue de Lappe, 75011, Paris, France • (9) 50 76 40 28
Courriel: gsj.editeur@free.fr

Imprimé et relié au Canada

À France, mon amie, pour tout
ce que je n'ai jamais été capable de te dire…

À Charlotte et Sam, mes amours, toujours.

Remerciements

Un énorme merci à mes idoles: Marie-Minou P., Mélissa B., Élodie G., Jessica G., Marie-Ève, Sarah-Jeanne D. Vous êtes de beaux modèles, des filles incroyablement inspirantes et courageuses… Lâchez pas!

À mes lectrices-critiques, des millions de mercis pour vos commentaires aussi précieux que pertinents: Catherine L., Mélanie Q., Sarah-Jeanne D., Tamara S., Roxanne B., ainsi que des remerciements très spéciaux à mes « conseillers »: Joanne M., Nathalie L., François C. et Louis H. Merci de m'empêcher d'écrire trop de niaiseries!

À Virginie T., Anabelle L., 4rine, Audrey T., Rebecca L., Élisabeth P., Jessy-L. C., Cassandra F., Anne-Sophie B., Sabrina L.-D., Marie France I., Marie-France L., Natasha V., Lydia-M. D., Corinne C., Kim M., Roxanne F., Roxanne L., Zoé C., Anne-Marie S., Maude C., Josiane A., Jacynthe C., Sara-Maud C., Jessika L., Sabrina F.S., Joanie A.,

Damla Y.-O., Janick B., Mélanie P., ainsi que tous les adeptes de la page « Oseras-tu ? » sur Facebook, vous ne savez pas à quel point vos idées, suggestions, questions et commentaires me font plaisir et me motivent à continuer. N'arrêtez surtout pas !

À tout le personnel, les intervenants et les jeunes que j'ai eu la chance de rencontrer ou avec qui j'ai eu le plaisir d'échanger à l'école secondaire du Harfang, à l'école secondaire Bermon, à l'école secondaire les Etchemins, à la Maison des jeunes de Saint-Gabriel-de-Brandon et à la MDJ l'Éveil Jeunesse, à l'école secondaire de Châteauguay, à la polyvalente Hyacinthe-Delorme, à l'école secondaire de Chambly et à la ville de Saint-Gabriel-de-Brandon, merci pour votre accueil extraordinaire et votre soutien…

À tous ceux qui, de près ou de loin, veillent au bonheur et au bien-être de nos jeunes, merci d'être là… On les aiiiiiime, hein ? ☺

Miroir, miroir, dis-moi, qui est la plus belle ?

Prologue

Miss Parfaite

Miss Parfaite, c'était moi, ça. C'est Camille, mon amie d'enfance, qui m'a donné ce surnom à moitié pour me flatter, à moitié pour m'agacer. Je n'étais pas si parfaite que ça, quand même, mais c'est vrai que la fille que je voyais devant moi chaque fois que je me regardais dans le miroir correspondait tout à fait à une Miss Parfaite, celle que je voulais être, celle que je pensais être: la fille jolie, raisonnablement intelligente, talentueuse, celle qui joue de la guitare, qui chante et qui danse, celle à qui tout réussit, qui obtient toujours ce qu'elle veut, quitte à employer parfois des moyens disons... douteux. Après tout, « la fin justifie les moyens », et si j'écorche quelques personnes au passage, eh bien tant pis. Je ne vais tout de même pas m'empêcher de foncer de crainte de froisser une personne ou deux!

Il faut dire que j'ai toujours été assez habituée à obtenir ce que je veux. Ce n'est pas ma faute, c'est toujours arrivé comme ça. Camille disait que c'était parce que j'étais parfaite, d'où le surnom, mais moi je pense que j'étais juste chanceuse. Et comme le dit souvent ma mère: «La chance colle à ceux qui y croient. Si en partant tu penses que quelque chose ne fonctionnera pas, c'est presque sûr que c'est ce qui va arriver. Mais si au contraire t'es convaincue que ça va se passer comme tu veux, tu mets toutes les chances de ton côté!» J'y croyais plus jeune et j'y crois toujours. J'ai beau trouver plein de défauts à ma mère, par exemple, elle est vraiment TROP positive tout le temps, toujours TROP de bonne humeur, et TROP curieuse de tout, surtout de ce qui se passe dans ma vie, je dois dire qu'elle a souvent raison. TROP, ça aussi.

Ma mère vend des maisons. C'est son travail. Eh oui, elle a la mini-fourgonnette avec une énorme photo de son visage et celui de sa partenaire dessus, et un slogan vraiment quétaine: «Avec Francesca et Brigitte, ça se vend vite!» Pas fort, je sais, mais bon. Brigitte, c'est ma mère et elle est très fière de ce qu'elle fait. C'est vrai, aussi, qu'elle réussit bien. Le mauvais côté de cette réussite, c'est qu'on a déménagé quatre fois en six ans parce qu'elle passe son temps à dénicher des «propriétés de rêve à un prix imbattable!». Je ne déteste pas vivre dans une «propriété de rêve» même si la définition de «rêve» de ma mère ne correspond pas nécessairement à la mienne. En fait, même si nous n'avons pas habité une succession de châteaux, c'était des maisons confortables et nous restions toujours dans la même petite ville plate que ma mère adore et où elle a grandi avec Francesca, son amie d'enfance.

Ça pourrait être pire, j'imagine.

La meilleure amie et associée de ma mère, Francesca, est aussi un « cas ». Il m'a fallu des années pour comprendre qu'elle est lesbienne, même si ma mère avait tenté de me l'expliquer plusieurs fois. Je n'arrivais tout simplement pas à admettre qu'une femme puisse avoir une « amoureuse »; j'étais persuadée que ma mère se trompait chaque fois qu'elle en parlait. Ce n'est que lorsque j'ai eu dix ou onze ans et que Francesca est venue à la maison avec sa nouvelle « amie » que j'ai compris. Elles se tenaient par la main et il était facile de voir l'amour et l'affection qui les unissaient. J'admets que les images qui me venaient en tête lorsque je les imaginais ensemble étaient assez incomplètes, mais comme il était évident qu'elles s'aimaient, ça me suffisait. Je considérais que c'était sa vie, pas la mienne ni celle de ma mère qui n'est pas lesbienne, elle. J'en avais malheureusement eu la preuve en la surprenant avec mon père à peine quelques semaines plus tôt. Ouache.

Un autre côté passablement positif de ma mère est qu'elle cède à presque tous mes caprices et qu'elle m'encourage dans chacune de mes passions. Elle m'a permis de suivre des cours de guitare classique et de chant pendant plusieurs années, a fait installer de grands miroirs dans ma chambre pour que je puisse pratiquer mes mouvements comme si j'étais sur scène, et on les a trimballés dans chaque maison qu'on a habitée, ces miroirs. J'aurais juste aimé qu'elle arrête de toujours se servir de ses bons coups pour illustrer sa philosophie de la «réussite dans la vie». Chaque fois qu'il fallait qu'elle me donne un exemple de persévérance, soit pour mon rêve de jouer de la musique avec un groupe hyper populaire, soit de devenir une grande actrice de cinéma, elle disait quelque chose du genre: «Tu vois, ma petite fille, s'il avait fallu que j'attende après quelqu'un pour réussir dans la vie, je serais encore en train d'attendre! Tout ce que tu veux, tu peux l'avoir, t'as juste à t'organiser pour!» Sa réussite à elle n'était pourtant pas si impressionnante en comparaison avec ce que moi, j'avais l'intention d'accomplir, mais bon. Je comprenais où elle voulait en venir et je travaillais relativement fort, même si pour moi rien de ce que je faisais à l'époque ne représentait vraiment un effort. L'école, c'est facile quand on sait comment s'y prendre, et le théâtre, c'est un talent naturel chez moi, la guitare et le chant aussi. Je n'aurai jamais une voix puissante à la Céline Dion, mais j'arrive à imiter toutes mes chanteuses préférées et ça me suffit. La danse? J'ai la chance d'avoir beaucoup de rythme et de souplesse.

Pour la guitare, tous les cours que j'ai suivis ne me servaient pas à grand-chose puisqu'il n'y a pas souvent de guitare classique dans les chansons populaires que j'aime, mais je me disais qu'un jour j'y verrais peut-être une quelconque utilité. Là aussi, j'avais de la facilité et j'aimais bien en jouer de temps en temps, question de ne pas perdre ce que j'avais appris et de ne pas «rouiller». On sait jamais, une fille qui joue de la guitare dans un band, c'est hot *et ça faisait une chose de plus que j'étais capable de faire.*

En secondaire trois, là où commence réellement l'histoire que je veux conter, je n'avais pas encore découvert ma grande passion pour le théâtre. Je préférais chanter et il ne me restait qu'à trouver le band parfait. Je n'avais pas encore passé d'auditions, les bons groupes de musique n'étant pas très nombreux dans mon village, et je n'avais simplement pas trouvé le temps ni le moyen de surveiller ce qui se passait dans les villes voisines. J'étais persuadée qu'un jour, je trouverais exactement ce que je cherchais, je le sentais. Tout ça pouvait aussi bien m'arriver à moi qu'à n'importe qui d'autre. J'avais ce qu'il fallait: le look, la patience, le talent, et je considérais que ce n'était qu'une question de temps et de contacts.

Pour ma mère, c'était un tout. Si je réussissais bien à l'école, elle n'avait aucun problème à me payer les cours ou me conduire où je voulais. Alors, je jouais le jeu. À l'école, les profs m'adoraient. J'étais toujours la première à me porter volontaire pour organiser les activités, les levées de fonds; j'avais de bonnes notes et je savais bien m'entourer pour les travaux d'équipe et choisir des filles comme Camille ou d'autres qui étaient bonnes là où je l'étais moins, en français, par exemple, ma seule faiblesse.

Oui, j'étais sans doute une petite Miss Parfaite qui aimait bien l'image que lui renvoyait son miroir. Puis, un jour, cette image s'est mise à changer, à se transformer. Pas du jour au lendemain, et pas sans laisser de séquelles, mais elle a changé quand même. Que serais-je devenue si ça ne s'était pas produit? Sans doute une petite princesse insupportable, comme je l'étais déjà un peu... beaucoup. Voyons voir...

Chapitre 1

Camille... et Renaud

J'ai toujours connu Camille. Elle a toujours fait partie de « mon paysage », mais ce n'est qu'à la fin de notre primaire que nous sommes vraiment devenues amies. Nous avons souvent été dans la même classe, mais en sixième année, comme nous jouions dans la même comédie musicale à l'école, ça a véritablement cliqué entre nous et nous sommes devenues inséparables. Nous avions beaucoup de choses en commun : même façon de penser, mêmes goûts en musique, en mode et en vedettes de cinéma. Plusieurs personnes disaient même que nous nous ressemblions, toutes les deux. Nous nous sommes donc amusées, pendant quelque temps, à nous faire les mêmes mèches, à nous habiller de manière presque identique. C'était drôle : nous faisions semblant d'être des sœurs, ce qui était parfait étant donné que nous étions deux filles uniques.

La vie de Camille est assez différente de la mienne, par contre, c'est-à-dire que ses parents et les miens n'ont pas du tout les mêmes activités, ne sont pas du même genre, mais ce n'est pas grave. Je suis allée souvent faire du ski avec elle, et moi, je l'ai fait s'inscrire au cheerleading. Ses parents font du camping, alors que les miens préfèrent les bords de mer et les petits motels «typiques». Elle est venue avec nous quelques fois dans le Maine et moi, je suis allée camper avec sa famille. Comme ses parents sont très proches de ceux de Renaud et qu'ils passent souvent leurs vacances ensemble, c'est comme ça que je l'ai connu, lui. C'est grâce à Camille — ou à cause d'elle — que je suis tombée amoureuse de Renaud.

Au fil des ans, Camille et Renaud étaient devenus très amis. La première fois que j'ai vu Renaud, au terrain de camping de Camille, ça m'a laissée pas mal indifférente. J'avais 11 ans: les garçons m'intéressaient autant que la pêche à la mouche. Camille était bien contente que je sois là; plus jeunes ils avaient du plaisir ensemble, tous les deux, mais là, elle avait bien plus envie de passer du temps avec moi à faire des choses de filles qu'avec lui. Nous nous sommes bien amusés cet été-là même si Renaud prenait plaisir à nous terroriser avec des bestioles qu'il ramassait un peu partout et à nous jouer des tours vraiment immatures du genre cacher nos vêtements quand nous allions nous baigner, mettre des vers de terre dans nos souliers et autres niaiseries. Nous, on lui a déjà mis du vernis à ongles pendant qu'il dormait dans le hamac et mis du gel à cheveux dans son Jell-O sans qu'il s'en rende compte. Très amusant, finalement.

En commençant le secondaire, évidemment, Renaud faisait comme s'il ne nous connaissait pas jusqu'à ce qu'un de ses amis s'intéresse à Camille et qu'Aurélie, une autre de nos amies, s'intéresse à lui. Ça n'a jamais marché entre elle et Renaud parce qu'il y avait… moi, même si ce n'était pas très clair à l'époque.

Rien ne s'est vraiment passé entre nous jusqu'en secondaire trois, l'année où j'ai l'impression de m'être « réveillée » à la vie. D'être plus consciente de ce qui se passait autour de moi. Par exemple, je ne m'étais jamais rendu compte, jusqu'alors, du nombre incroyable de *loosers* qu'il y avait à mon école. Je n'aurais même pas été étonnée que nous ayons détenu le record de la plus grande quantité de *loosers* au pouce carré. Pour une si petite école, un si petit village, c'était assez effarant. Souvent, je me sentais mal pour eux, j'aurais aimé les aider. Mais il y en avait qui, vraiment, avaient l'air de le faire exprès.

Quelques-uns, comme Cassandra Lemieux-Richer, étaient simplement « invisibles », le genre de fille qui disparaissait dans les murs et que personne ne voyait. Mais d'autres, certains de ses amis, d'ailleurs, figuraient parmi les irrécupérables. Les jumelles épaisses, par exemple. Pas réellement des jumelles, mais Juliette et Audrey-Anne étaient épaisses dans tous les sens. On aurait dit qu'elles faisaient leur possible pour choisir le pire look, les pires accessoires et les comportements les plus pitoyables. Elles s'arrangeaient tellement mal que ça faisait pitié. Cassandra a éventuellement fini par se réveiller, elle aussi, et se «transformer», mais elles, c'était l'horreur! Leur peau était un véritable désastre, leurs vêtements semblaient sortir tout droit d'une vieille boîte de recyclage et leurs cheveux — chez l'une d'un blond terne et fins comme des cheveux de bébé, chez l'autre tellement raides et épais qu'on aurait dit le balai du concierge — auraient rendu folle la plus patiente des coiffeuses. Elles avaient toutes les deux un rire complètement débile et n'étaient même pas assez intelligentes pour essayer de le cacher. Mais le pire, c'était le petit twit de Marc-Antoine Blondin. Plusieurs personnes, dont Renaud qui à mes yeux était déjà devenu le M. Parfait qui m'était destiné, avait vraiment l'air d'y être allergique. Lui, c'était carrément une caricature. Il était en secondaire trois en même temps que moi, mais il avait l'air d'être au primaire. Allô? Son corps avait-il oublié qu'il était censé passer par une étape qui s'appelle la puberté? Il était tout petit, maigre; il n'avait pas tellement de boutons, c'était déjà ça, mais même s'il en avait eu, ils auraient été invisibles puisqu'il se cachait toujours le visage en regardant le plancher, sa moppe de cheveux tout dépeignés faisant un voile devant lui. Je trouvais étonnant qu'il ne se cogne pas plus souvent partout!

Renaud était totalement incapable de le sentir. Je savais qu'il lui avait souvent fait des chienneries, et je ne trouvais pas ça très correct, mais au fond, ça ne me regardait pas. À ma connaissance, tout ce qu'il faisait, c'était de passer des commentaires pas très gentils à son sujet. Oh, il l'avait peut-être déjà niaisé dans la cour d'école, mais je savais que d'autres faisaient pire, comme le bousculer ou le pousser un peu fort aux casiers. Mais comme je me disais, c'est la vie, et il fallait bien qu'il s'endurcisse, non? Je pouvais seulement constater que certaines personnes ne s'aidaient pas. Si au moins il avait fait des efforts pour avoir l'air moins innocent! On racontait qu'il tripait encore sur les chevaliers comme les *kids* de troisième année. Franchement!

Pour en revenir à Renaud, il n'a pas été mon premier chum. Avant lui, il y en avait eu deux autres, mais qui n'avaient vraiment aucune importance. On se tenait à peine par la main, on a peut-être échangé de petits becs, mais même pas avec la langue. Non, déjà, je gardais tout ça pour Renaud.

Lui non plus n'avait pas vraiment eu de blonde

significative, seulement quelques petites amourettes de deux ou trois semaines, sans plus. Il m'avait déjà dit qu'il trouvait ça compliqué à gérer, avoir une blonde. Alors j'imaginais qu'entre les pratiques de football et toutes ses autres activités si importantes avec ses chums, c'était pas évident... Sauf que quand il en avait, des blondes, c'était toujours des filles belles et populaires, et c'est vraiment ce qui me dérangeait le plus. Je correspondais pourtant tout à fait à ça et jamais il ne m'avait manifesté d'intérêt. J'avais beau scruter mon visage et mon allure dans mon fidèle miroir, je n'y comprenais rien. Camille, elle, me disait simplement que c'était parce qu'il était gêné, qu'il avait peur de se faire dire non; il me fallait donc faire le premier *move*. Facile à dire!

À force de me comparer avantageusement à mes rivales, je finis par comprendre que Camille avait probablement raison. Il m'intéressait de plus en plus; il avait seize ans, je venais d'en avoir quinze. Il avait grandi tout d'un coup, sa voix avait changé assez soudainement, il était beau et il était libre. Celle qu'il venait de laisser était dans ma classe, et toutes les filles ne parlaient que de ça. Je pensai à ma mère et décidai de créer ma propre chance.

Camille était évidemment au courant et elle était la seule fille qui ne constituait pas une menace à mon plan. Je lui avais déjà demandé ce qu'elle pensait de Renaud; comme nous étions toujours attirées par les mêmes gars, je trouvais bizarre qu'elle ne s'intéresse pas à lui. J'avais alors compris qu'ils étaient bien trop amis pour qu'elle le voie autrement que comme son frère. Ça faisait bien mon affaire: s'il avait fallu que notre amitié soit mise à l'épreuve à cause d'un gars, ça aurait été l'enfer! Mais elle ne ressentait rien d'autre qu'un vague malaise en s'imaginant en train de l'embrasser et c'était parfait, car ce n'était définitivement pas le cas pour moi... Je ne savais pas au juste ce que je ressentais, car c'était nouveau pour moi d'être amoureuse; je savais cependant que je me sentais toute drôle en sa présence et que pratiquement toutes les filles tripaient sur lui. Il était parmi les gars les plus cool de l'école et il avait l'air de réussir tout ce qu'il faisait, lui aussi. Un *winner,* c'est toujours attirant, comme aurait dit ma mère... et je trouvais que nous étions faits l'un pour l'autre précisément pour ça. Je passai donc à l'acte et réussis à atteindre mon but sans grande difficulté, tel que prévu.

Je commençai par me rendre à ses parties de football. C'était vraiment ennuyant: la partie s'arrêtait tout le temps, les équipes changeaient de place sans raison et le sifflet retentissait à toutes les cinq secondes. Je ne comprenais rien à ce qui se passait sur le terrain et ça m'avait l'air trop compliqué pour que je m'y attarde. C'est Camille qui avait eu cette brillante idée parce qu'elle avait l'œil sur un des amis de Renaud; c'était tout de même une bonne stratégie pour que Renaud sache que je m'intéressais à lui.

Ce qui me frappait pendant les parties et les entraînements, à part le physique de Renaud — ses fesses si adorables dans son pantalon de foot! —, c'est combien son père avait l'air de prendre tout ça au sérieux. Il gueulait, gesticulait, ne semblait jamais satisfait de ce que Renaud faisait, critiquait les arbitres. Même si Camille le connaissait bien, il ne faisait absolument pas attention à nous, ne se concentrait que sur ce que son fils faisait sur le terrain. Renaud, lui, n'avait pas l'air très heureux de toute cette attention.

Un après-midi que j'avais attendu Renaud jusqu'à la fin dans l'espoir de repartir avec lui, je vis son père le rattraper dès que les joueurs étaient sortis du terrain. Ils se sont mis à « discuter » assez fort, ça n'avait pas l'air très joyeux. J'attendais en retrait avec Camille et Alex, celui qui allait bientôt devenir son copain, et me demandais bien ce qui se passait. Alex résuma:

— Renaud a pas joué aussi bien que son père aurait voulu et là il lui donne de la marde, c'est toujours la même affaire. Mais le pire, c'est que Renaud, y s'en fout un peu, du foot, j'pense qu'il joue juste pour que son père le laisse tranquille...

— Bin, y a pas l'air de le laisser tellement tranquille maintenant!

— Non, mais y est un peu spécial, le bonhomme. En tout cas, je voudrais pas que ce soit mon père!

Je ne savais pas quoi dire ou quoi penser. Renaud finit par tourner le dos à son père et se dirigea vers nous. Il fulminait et je ne me sentais pas du tout à ma place. Il me sourit quand même, mais nous dit qu'il s'en allait chez lui, seul, et qu'il n'avait pas vraiment envie de voir qui que ce soit. Il m'a malgré tout regardée un court instant et m'a dit, juste avant de partir:

— C'est cool que tu sois venue. À la prochaine!

Alex partit de son côté et Camille et moi sommes remontées bredouilles sur nos vélos. Bredouille? Pas tant que ça: il avait trouvé ça cool que je sois là, alors je m'arrangerais pour y être la prochaine fois!

* * *

C'est ce que je fis et dès le début de la partie suivante, quelques jours plus tard, je me régalai des sourires qu'il m'adressait quand il en avait l'occasion. Et je sus: ce qui selon moi était « dû pour arriver » était effectivement en train de se produire. Ce soir-là, il me raccompagna à la maison sur son scooter. Je m'agrippais à lui sous prétexte de bien me tenir, mais j'étais troublée de le toucher, d'être si près de lui. Aussitôt arrivée chez moi, malgré la gêne que nous éprouvions à nous retrouver seuls tous les deux pour la première fois, je pensai à ma chance et à ce que je voulais accomplir. Je pris une profonde inspiration et me lançai à l'eau:

— Renaud, ça te dérange pas que j'aille voir tes parties?

— Si ça te tente, moi j'aime ça, en fait. Je peux pas dire que ça me fait triper tant que ça, jouer au football, mais au moins, quand t'es là, c'est l'fun...

— Ah, tant mieux. Mais pourquoi tu joues, d'abord?

— Longue histoire. Mettons que j'ai pas tellement le choix. Mon père s'est mis dans la tête que j'étais bon pis que je pourrais aller à l'université aux États grâce au football. Moi, j'm'en fous, étudier là-bas ou ici, c'est la même affaire, me semble. Mais j'me ferme la gueule, je joue du mieux que je peux, c'est moins compliqué de même.

— Bin là, si t'aimes vraiment pas ça...

— J'haïs pas ça tant que ça, mais je suis juste pas autant «dedans» qu'il pense. Il va s'en rendre compte un moment donné. En tout cas.

— En tout cas, comme tu dis. Je me demandais, vu que tu sors pus avec personne, euh... bin j'me disais que ça serait l'fun que, qu'on...

— Qu'on se voit plus souvent?

Je ne répondis que par un sourire. Il retira son casque et me donna un petit baiser sur la joue. Et voilà, je n'en avais jamais vraiment douté. À la maison, ce soir-là, quand j'ai posé la question habituelle à mon miroir: «Miroir, miroir, dis-moi, qui est la plus belle?» je savais qu'il me répondrait, comme d'habitude, que c'était moi. Qu'aurait-il pu dire d'autre? J'étais, après tout, Miss Parfaite...

Chapitre 2

La bonne gang

Le secondaire quatre succéda au précédent sans autre grand changement que le fait que j'avais un chum cool qui se préparait tranquillement pour le cégep et que moi, j'entamais mon avant-dernière année de secondaire. Même si j'étais toujours impliquée dans toutes sortes d'activités, je passais plusieurs midis avec Renaud et ses amis. Honnêtement, ils ne m'impressionnaient pas toujours, loin de là. Ils avaient parfois des remarques que je trouvais un peu méchantes et j'avais de plus en plus l'impression que si on ne faisait pas partie de leur bande, on était critiqués. Tout le monde avait l'air d'y passer, mais je ne m'en occupais pas tellement et comme je ne participais pas activement aux critiques, je ne me sentais pas vraiment coupable de quoi que ce soit.

C'est durant cette période que je me rendis compte que les amis de Renaud avaient quelques souffre-douleur dans l'école et que leurs façons de les humilier étaient pires que ce que je croyais. Renaud, même si je détestais l'admettre, était particulièrement méchant et semblait même entraîner les autres à l'être tout autant. Évidemment, les profs et tous les autres adultes de ce monde nous disaient que l'intimidation, « c'est pas gentil », mais je me convainquais que ce n'était pas vraiment ce qu'ils faisaient. Comme le disait Renaud : « S'ils sont trop twits pour prendre nos jokes, c'est qu'ils ont pas le sens de l'humour ! On leur rend service, en fait, faut qu'ils s'endurcissent ! » Il s'en prenait particulièrement à Marc-Antoine-qui-tripait-sur-les-chevaliers qui, décidément, empirait avec le temps.

Renaud et ses amis avaient décidé qu'il était gai. C'était, selon eux, la pire chose qu'une personne, un gars en tout cas, pouvait être. Je trouvais ça un peu précipité comme conclusion. Pour ma part, j'étais convaincue que ce n'était pas parce qu'un gars était « feluette », renfermé, maigre et rêveur qu'il était gai… et même s'il l'avait été, je ne voyais pas en quoi c'était un problème. Lorsque je posais cette question, en toute naïveté, les gars me répondaient : « Y en a pas de problème, tant qu'il vient pas nous écœurer ! »

Je comprenais encore moins; il me semblait bien, à moi, que c'était eux qui l'écœuraient plutôt que le contraire ! J'avais assez de mal à imaginer Marc-Antoine venir s'en prendre à ces grands gars-là à moins de chercher à mourir de façon particulièrement lente et douloureuse.

Même si ce genre de situation me dérangeait de

plus en plus, je ne disais rien parce que j'aimais bien me retrouver là où j'étais, dans la « bonne gang ». D'ailleurs, un des autres gars m'avait déjà remise à ma place en disant : « Coudonc, Caro, tu le défends tout le temps, t'es-tu une lesbienne ? » Je l'avais trouvé con, vraiment con, mais le regard de Renaud m'avait fait comprendre qu'il valait mieux ne rien répondre. Personnellement, je n'en avais rien à cirer qu'il soit gai ou pas, tout le monde a le droit de vivre sa vie comme il veut ; cependant, je commençais à réaliser que beaucoup plus de personnes que je le croyais ne partageaient pas mon point de vue. La façon dont je traitais moi-même certaines filles n'était certainement pas plus reluisante, mais je me disais que ce n'étaient que des paroles, et seulement entre amies. Jamais je ne les avais traitées de quoi que ce soit ouvertement, alors c'était OK, non ?

Le plus étrange était que lorsque nous étions seuls tous les deux, Renaud et moi, il était complètement différent. Autant il pouvait être fendant avec ses amis, autant il me parlait sincèrement et ouvertement de toutes sortes de choses dont il n'aurait jamais, je pense, parlé devant eux. Comme je l'aimais quand il partageait ses idées, ses rêves, ses projets avec moi ! Je ne comprenais pas pourquoi, mais il avait vraiment l'air d'avoir deux personnalités distinctes et j'étais tellement amoureuse que je ne m'en préoccupais pas, sauf pour me désoler du fait que les occasions d'être seuls ne se présentaient pas plus souvent.

Au fil des semaines, j'essayais donc de trouver des opportunités pour voir Renaud le plus possible en dehors de l'école, mais nos horaires étaient assez compliqués. J'avais commencé des cours de chant vraiment excitants avec un prof qui enseignait à de « vrais » professionnels et j'avais l'intention d'en profiter pour m'améliorer. Ma mère m'avait fait comprendre que j'avais intérêt à ne pas annuler de cours trop souvent, sinon je perdrais ma place. Il fallait donc que je pratique le soir et que je montre à mon prof que j'étais « sérieuse ». Ce n'était pas un sacrifice, j'adorais ça. Renaud, lui… vivait sa vie bien remplie de gars et ça m'allait, tant qu'il n'y avait pas d'autre fille dans les parages.

De son côté, Camille était totalement amoureuse. Elle passait beaucoup de temps avec Alex et n'était plus très disponible pour moi. Ça me dérangeait un peu, mais je trouvais ça assez normal; cependant, comme je n'étais pas constamment avec Renaud, ça laissait un peu trop le champ libre aux millions de questions de ma mère. Elle était une source inépuisable d'interrogations sur Renaud, évidemment, mais aussi sur tout ce qui allait avec le fait que j'avais maintenant un « vrai » chum. Elle le trouvait bien gentil, mais se demandait si notre relation devait vraiment être aussi sérieuse, si je ne devrais pas voir plus de monde, sous-entendu: d'autres gars. C'était à croire qu'elle n'avait jamais été amoureuse! Elle voulait que je sois comment, au juste, comme une des trop nombreuses greluches de mon école qui changeaient de chum comme elles changeaient de mascara?

J'essayais de répondre à ses multiples questions avec juste assez de conviction et de détails pour qu'elle me laisse tranquille. Forcément, et j'imagine que c'était son but, ça m'emmenait à m'en poser moi-même tout un tas. Par exemple:

— Est-ce qu'il est fin avec toi, Caro?

Fin? Bien sûr, qu'il était fin! C'est ce que je répondais. Mais là, elle se sentait obligée d'approfondir avec des phrases philosophiques du genre:

— T'sais, aimer quelqu'un, c'est compliqué, faut que ça soit pour les bonnes raisons. C'est quoi, les tiennes?

— Bin... je suis bien avec lui...

Je m'efforçais de répondre ce qu'elle voulait entendre.

— C'est pas compliqué, on aime ça parler ensemble...

— Ah oui? Vous parlez de quoi? Qu'est-ce qu'il aime, à part le football?

— Plein d'affaires. On aime la même musique, on se fait du fun.

— Quel genre de fun ?

— Maman! C'est pas ce que tu penses, là! On jase, on niaise, comme tout le monde, quoi!

— Et quand vous êtes tout seuls, ensemble, il se passe quoi ?

— MAMAN!

— Écoute, t'as le droit de pas tout me dire, mais je veux juste que tu fasses attention et que les choses aillent pas trop vite, c'est tout. Tu peux pas m'en vouloir de penser à ça...

— Non, mais c'est pas de même avec lui.

Ce n'était pas « de même » avec lui, non. Je n'avais pas à mentir sur ce point. D'ailleurs, je commençais parfois à me demander si notre relation était normale. Camille disait sans cesse que les gars pensent TOUJOURS au sexe, qu'ils sont TOUJOURS pressés. Eh bien moi, j'avais la preuve que ce n'était pas nécessairement vrai. Je sortais avec Renaud depuis plusieurs semaines et tout ce qu'il avait osé faire était me caresser les seins un soir au parc. Ça faisait déjà un bout de temps et, même si je ne m'y étais pas objectée, il n'avait rien tenté d'autre. J'avais pourtant senti que ça lui avait fait de l'effet quand, le souffle court, il s'était frotté l'entrejambe contre mon bassin, mais il était évident qu'il ne voulait pas, justement, aller trop vite. Moi, j'avais hâte de voir ce qui viendrait par la suite, de connaître ce qu'apparemment tout le monde faisait avec son chum dans une pièce plus ou moins sombre. Je me disais que, comme pour bien d'autres choses, c'était à moi de faire les premiers pas... mais je ne voulais surtout pas qu'il s'imagine que j'étais trop pressée. C'était bien compliqué, tout ça! Je ne savais plus tout à fait ce qui était normal et ce qui ne l'était pas, ce que j'étais supposée vouloir ou non. Tout ce que je savais, c'était qu'il me donnait parfois des frissons bien trop délicieux pour que j'aie envie de m'en priver. Est-ce que ça faisait de moi une obsédée? Je ne croyais pas, non, mais je ne savais absolument pas comment j'étais supposée le savoir. Pourquoi fallait-il que je me pose autant de questions, tout à coup?

Chapitre 3

Miroir, mon miroir, dis-moi, qui est la plus jalouse?

Finalement, pour me débarrasser de tous les questionnements agaçants au sujet de ma normalité et de mon envie d'aller plus loin dans ma relation avec Renaud, j'ai pris le contrôle de la situation une fois de plus. Au moins, je serais préparée lorsque l'occasion se présenterait pour le grand événement: je suis allée voir mon médecin, toute seule comme une grande fille, et j'ai commencé à prendre la pilule. Quand j'ai annoncé ça à Renaud, il m'a dit:

— Ouf, je savais pas comment t'en parler! C'est très cool... Ça veut dire que...

Je l'ai embrassé pour le faire taire. J'y ai mis toute ma passion, tout ce que je ressentais pour lui. Et ça a marché, enfin presque; j'avais obtenu la réaction que j'espérais et même si je savais que ce n'était pas LE bon moment, nous pouvions tout de même «pratiquer». Nous étions dans sa chambre et, étendus sur son lit, nous avons commencé à nous caresser jusqu'à ce que ça devienne vraiment intense. Enfin, il me touchait comme je le voulais: quand sa main s'est aventurée entre mes cuisses en frottant doucement, j'ai senti comme un choc électrique. Il se collait contre moi et il était tout dur. Il faisait chaud et comme je voulais qu'il continue, j'ai caressé la bosse dans son pantalon avec une main d'abord hésitante puis plus ferme quand j'ai constaté à quel point il était excité. Il aimait ce que je faisais et me le montra en commençant à défaire son pantalon. Et là… la voix de son père retentit d'un ton sec. Il n'avait pas l'air particulièrement de bonne humeur, pour faire changement.

— Renaud ? Faut que j'te parle !

Renaud poussa un long soupir et se dégagea. Moi, je restai là, dans son lit, à reprendre mon souffle. Je sentais presque les étoiles danser dans mes yeux.

Il revint quelques minutes plus tard en rouspétant.

— Faut que j'aide mon père dehors, excuse-moi. Veux-tu que j'aille te reconduire ?

— Non, c'est beau, je vais marcher, ou plutôt flotter jusque chez moi…

Il me rendit mon sourire. Malgré la brutale interruption de son père, les choses s'annonçaient bien et je sentais que Renaud et moi ferions enfin de belles découvertes ensemble, et bientôt. La vie était belle. Non, la vie était parfaite.

* * *

Le lundi matin, en arrivant à l'école, la première chose que je vis était Renaud en train de parler avec Mélissa, une fille qui, je le savais de Camille, courait après Renaud depuis l'année précédente. Je la voyais sourire, minauder, comme si elle pensait que Renaud était célibataire. Elle était effrontée, celle-là. Je pris une profonde inspiration et tentai de me calmer. Je crus voir Renaud rougir alors que je m'approchais; Mélissa, elle, m'adressa un drôle de regard et partit en saluant Renaud du bout des doigts. Il me connaissait assez pour constater que je me posais des questions. Il tenta de m'expliquer, mais ça sonnait faux. Je faisais de mon mieux pour ne rien laisser paraître de l'état dans lequel je me trouvais; je me trouvais ridicule de réagir aussi violemment, mais je n'y pouvais rien. Renaud m'accusa d'être jalouse pour rien. Je le pris mal et répondis qu'il avait juste à ne pas me donner de raisons de l'être, et tout irait bien. De fil en aiguille, en l'espace de quelques phrases, c'est devenu notre première dispute.

Je passai le reste de la journée à essayer de me calmer en me disant que je m'étais sans doute emportée pour rien. Je m'excusai ce soir-là en lui envoyant un message tout sucré et je croyais que tout redeviendrait comme avant. Malheureusement, j'avais beau m'être excusée, je n'avais toujours pas digéré ce que j'avais vu. J'en voulais à Mélissa d'être si peu subtile, d'essayer de me piquer mon chum aussi ouvertement, et malgré tout ce que prétendait Renaud, je n'étais pas du tout convaincue que leur discussion ensemble avait été totalement inoffensive. J'avais beau vouloir me sortir l'incident de la tête, je n'y arrivais pas même si je faisais de mon mieux pour sourire, comme si tout était parfait.

Quelques jours plus tard, au dîner, je le vis jouer au billard avec Sandrine, une des pires ennemies de Camille. Je ne trouvai pas ça drôle et les observai de loin. Renaud ne m'avait pas encore vue, mais il était facile de constater que Sandrine, de ses grands yeux de biche — ou plutôt biche avec un « t » entre le « i » et le « c » — faisait tout pour obtenir de l'effet. Renaud, lui, souriait comme si de rien n'était, souriait comme il aurait dû me sourire à moi. Je vis rouge et sortis de la pièce sans regarder en arrière. À la fin de la journée, quand Renaud me demanda comment il se faisait que je ne l'avais pas rejoint à l'endroit habituel pour le dîner, je ne pus me retenir :

— Je suis allée, mais t'avais l'air pas mal occupé !

Il me regarda, ayant vraiment l'air de se demander de quoi je parlais. Puis, il comprit.

— Bon, t'es fâchée parce que je jouais au pool avec Sandrine, j'te gage?

— Voyons donc, qu'est-ce que tu penses là!

— J'te connais, Carolanne, mais je faisais rien de mal, je jouais au pool.

— Ouain, toi peut-être, mais je suis sûre qu'elle pensait pas la même chose!

À son air exaspéré, je compris que j'étais allée trop loin. Encore une fois, cependant, je n'y pouvais rien. Il me donna un petit bec sur la joue et me dit:

— Va falloir que t'arrêtes ça, Caro, j'ai le droit de vivre. Je faisais rien de mal, je suis avec toi, pas avec personne d'autre.

Mes yeux se remplirent d'eau et je me sauvai parce que je ne voulais pas qu'il me voie comme ça. Je croisai Camille qui me suivit aux toilettes et à qui je racontai toute l'histoire. Sa réaction me fit du bien:

— Sandrine Samson! La maudite. Elle est pas capable de se trouver un gars qui est libre, faque elle s'attaque aux gars qui le sont pas! Ça a toujours été sa spécialité.

Elle sortit un marqueur de son sac et, pendant que j'essayais de retrouver mon calme, se mit à écrire un «poème» à propos de Sandrine sur la porte de la toilette, ce qui me fit sourire pour la première fois depuis l'avant-midi.

À nouveau, je m'excusai auprès de Renaud et

attendis que notre vie reprenne son cours normal. Sauf que… je ne sais pas si Renaud me testait ou si j'étais simplement trop malade de jalousie pour être rationnelle, mais il me semblait que ces genres d'incident se multipliaient. J'avais l'impression que, presque chaque jour, je surprenais Renaud avec une fille trop près de lui, trop souriante, trop amicale. Elles étaient toutes pareilles: je les voyais battre des cils, rire trop fort, marcher trop lentement trop près de lui. Trop tout. Croyaient-elles vraiment que je ne remarquais rien? Oh, je voyais tout, beaucoup plus que j'aurais voulu. Je faisais des efforts surhumains pour tenter de ne rien laisser paraître, mais c'était peine perdue. Renaud avait-il toujours été autant entouré de filles ou était-ce, comme je le croyais, pire depuis quelque temps? Je ne savais plus.

Puis, ça devint presque obsessif: les soirs où je ne pouvais pas voir Renaud, je l'imaginais dans les bras d'une autre fille. Je lui téléphonais plusieurs fois chaque soir, m'attendant à entendre une voix féminine répondre à l'un ou l'autre de mes appels. Je lui envoyais quantité de textos, surtout la fin de semaine et tard le soir, lui demandant ce qu'il faisait, avec qui il était. J'avais bien conscience que j'exagérais, mais c'était plus fort que moi, je souffrais. J'étais convaincue d'avoir raison de m'inquiéter; je ne savais simplement pas de qui. Tout ça m'étonnait, aussi; moi qui avais toujours été sûre de moi, qu'est-ce qui me prenait à m'affoler comme ça? C'était l'amour qui me rendait aussi anxieuse? Je n'y comprenais pas grand-chose mais cette sensation de ne pas avoir le plein contrôle sur mes émotions était assez inconfortable.

Puis, l'inévitable se produisit. Un midi, j'arrivai à notre lieu de rencontre et il était là avec Édouard et Mélissa. Encore elle. Je m'arrêtai sec, à quelques mètres d'eux, et Renaud me vit. Il me sourit d'abord puis, alors qu'il suivait mon regard, son sourire fit place à un regard dégoûté et exaspéré. Il vint me rejoindre et me dit:

— OK, je vois dans ta face ce que tu penses.

— Qu'est-ce qu'elle fait ici, elle? Tu vas me dire qu'elle passait par hasard?

— Non, j'te dirai pas ça.

— Au moins, t'es pas menteur…

— Caro, c'est assez. Elle est ici parce qu'elle est avec Ed. Ils sortent ensemble.

Je ne savais que répondre. Pourquoi avait-il fallu que je m'énerve pour rien? Je n'aurais pas pu attendre un peu avant de sauter aux conclusions? Apparemment, non.

— Ah, je savais pas. Excuse-moi. As-tu envie d'aller prendre une marche?

— Non, Caro, j'ai pas envie d'aller prendre une

marche. J'ai envie de rien faire, en fait, j'suis pas mal tanné. On peut pas continuer de même, j'me sens tout le temps checké, tu me fais pas confiance, c'est ridicule ! Je fais juste parler à une fille et tu pognes les nerfs. Là, j'pense qu'on devrait prendre un break.

— Hein ? Qu'est-ce que tu veux dire par là ? Voyons, Renaud, c'est juste parce que je tiens à toi que je suis de même. J'veux pas te perdre !

— Bin j'pense que t'avais tellement peur de me perdre que c'est ça que tu t'es arrangé pour faire, justement. Bye, Carolanne. C'est plate, mais j'en peux pus.

Je restai au milieu du corridor sans savoir quoi dire ou quoi faire. Pas un seul mot ne me venait en tête, moi qui ai presque toujours quelque chose à dire. Camille arriva, comme par magie, et me fit enfin bouger avant que tout le monde commence à se demander ce que je faisais plantée là. Nous sommes allées chercher nos manteaux et sommes sorties. Je réussis à retenir mes larmes tout ce temps, mais une fois arrivées au fond de la cour, j'éclatai en sanglots. Mon amie me consola du mieux qu'elle pouvait, mais je n'arrivais pas à savoir de qui j'étais le plus déçue : de Renaud ou, ce qui était encore plus pénible, de moi-même.

* * *

Le plus difficile de toute cette période a été d'admettre que j'avais fait une erreur, que je n'avais pas obtenu ce que je voulais, comme je le voulais et quand je le voulais. J'avais beau blâmer toutes les filles de l'école, il m'apparaissait de plus en plus possible que le problème ne soit venu que de moi. Difficile à admettre, pour celle qui était habituée à toujours obtenir ce qu'elle voulait! Certainement pas très agréable, non plus. Je m'obstinais à me dire que je n'avais quand même pas tout inventé, que j'avais probablement eu raison de douter de Renaud parce que c'était beaucoup plus supportable. C'était mon premier échec, et je n'aimais pas ça. Même mon miroir me renvoyait pour la première fois une image que je n'appréciais pas du tout: une jalouse finie, à tort ou à raison. Belle, mais jalouse quand même. Le fait que je n'avais peut-être que moi-même à blâmer était difficile à accepter. Il était bien plus simple et moins désagréable de trouver quelqu'un d'autre à blâmer. Ça n'avait jamais été un problème.

Chapitre 4

Grrrr.

C'est donc en célibataire que j'ai commencé mon mois de novembre. Je gardais la tête haute même si chaque soir je me dépêchais de rentrer chez moi pour m'enfouir la tête dans l'oreiller et pleurer un bon coup, de rage autant que de chagrin. C'est seulement après avoir fait ça que j'arrivais à fonctionner normalement. Le pire, c'était chanter : chaque fois que j'essayais de chanter une chanson qui parlait d'amour, de jalousie ou de douleur, je me mettais à pleurer. Je n'avais jamais remarqué combien il y en avait, de ces chansons ! Brusquement, il me semblait que toutes les paroles me touchaient personnellement, étaient le reflet de ce que je ressentais, et je n'arrivais qu'à chevroter comme une vieille femme et cette « faiblesse » m'enrageait. Je voulais parler à Renaud, lui dire que je m'excusais une ultime fois, mais je n'arrivais simplement pas à être certaine que j'avais réellement tout imaginé. J'attendais de voir les nombreuses filles lui tourner autour comme des mouches et aussitôt que l'une d'elles le faisait, Camille s'empressait de me révéler quelque chose de vraiment méchant à son sujet. Si elle ne trouvait rien, elle inventait, ce qui était facile pour elle et me faisait un bien énorme.

Mon amie n'arrêtait pas d'ailleurs de me répéter qu'on était faits l'un pour l'autre, mais que Renaud ne le savait tout simplement pas encore. J'arrivais donc à me dire que notre «pause» n'était que temporaire. Après tout, nous étions toujours amis, lui et moi, même si je trouvais parfois pénible de le voir, à l'école ou dans un party.

À peine quelques jours après notre dispute, nous avons recommencé à nous parler, de tout et de rien, mais certainement pas de ce qui s'était passé. Je n'étais pas encore prête à admettre mon erreur, et il n'était pas prêt à me la pardonner. J'en vins à me convaincre que nous n'étions véritablement qu'en «break» même si je savais que bien souvent ce terme ne sert qu'à déguiser une rupture permanente. Alors, je laissais le temps passer en en profitant pour reprendre les cours de chant que j'avais un peu délaissés pour cause de boule dans la gorge, et c'est là que j'ai recommencé à jouer de la guitare, essayant d'appliquer toute la technique que j'avais apprise à ce que j'avais envie de jouer.

Ma mère était étonnée mais ravie. Elle essaya bien de me poser des questions sur ce qui se passait — elle me devinait vraiment trop facilement —, mais j'arrivai assez habilement à éviter toute discussion sérieuse. Sauf que pour la guitare, comme pour le reste, c'était peine perdue: je n'aboutissais à rien. Je réalisais que je n'avais aucune imagination musicale et ça me frustrait, mais, faute d'avoir autre chose à faire, je continuais tout en ayant l'impression de tourner en rond.

Du côté social, les chances de voir Renaud étaient presque plus fréquentes que du temps où nous sortions ensemble. C'était l'automne et les partys se multipliaient. Il nous arrivait de nous retrouver, chez Camille bien souvent, à une quinzaine d'amis ou plus. Camille espérait, pas très subtilement, provoquer un rapprochement entre nous et profitait de chaque occasion qui se présentait. Renaud était bien gentil avec moi, mais sans plus. Il n'était certainement pas froid, mais pas chaleureux non plus. Je me surveillais constamment, pour être certaine de ne pas dire de conneries ou d'agir bizarrement, mais, plus que tout, je trouvais que nous perdions du temps. Il me manquait plus que ce que je n'aurais jamais osé lui admettre, et me demandais combien de jours, de semaines, il faudrait voir passer avant que nous soyons à nouveau réunis. Moi, j'aurais bien réglé ça sur-le-champ! À force de l'observer de loin, je me rendais bien compte que, non, je n'étais pas toujours d'accord avec ce qu'il disait ou faisait;

oui, je trouvais qu'il avait un sale caractère, qu'il s'emportait souvent pour rien, qu'il jugeait tout le monde trop vite et qu'il était toujours certain d'avoir raison sur tout. Sauf que moi, je connaissais son « autre côté », celui qui était doux, gentil, celui qui me manquait le plus. J'avais envie qu'il m'embrasse, qu'il me caresse, j'avais envie de faire l'amour avec lui, je voulais vivre ma première fois avec lui. *Mes* premières fois, de toutes sortes de choses. Même si je ne lui faisais pas totalement confiance au chapitre de la fidélité, je me sentais bien avec lui. Je savais que d'autres gars se réjouissaient de notre rupture et ça me flattait, mais aucun autre ne m'intéressait autant que Renaud.

Il était évident que de son côté, aussi, plusieurs filles n'attendaient qu'un signe de sa part pour me remplacer à ses côtés. Je les voyais, à l'école, qui essayaient de se rapprocher de lui, se rendant ridicules en jouant au ping-pong ou en faisant plein de pirouettes en espérant qu'il les remarque. Cependant, les paroles qu'il m'avait souvent dites pour me rassurer semblaient vraies puisqu'il ne semblait en préférer aucune en particulier. Tout ça me fit réaliser à quel point j'avais peut-être eu tort de douter de lui. Je l'entendais encore me dire :

— Arrête donc, Carolanne. Elles m'intéressent pas, ces filles-là. Elles passent un gars après l'autre, comme si elles cherchaient un petit chien qui va se pâmer sur elles. J'ai pas de temps à perdre avec ça!

Et comme s'il trouvait ça drôle, il ajoutait:

— Une fille, c'est assez compliqué de même, j'en voudrais pas une deuxième!

Ce genre de remarque me mettait hors de moi. Peut-être que Renaud n'était pas intéressé aux autres filles, mais il était clair qu'elles l'étaient, elles, intéressées à lui. Je les connaissais trop bien, ces filles qui ont absolument besoin du défi de séduire, tout le temps, et surtout le chum des autres. Celles qui sautent au lit dès le premier soir et qui sont prêtes à tout pour agrandir leur collection de conquêtes. Elles se seraient volontiers glissées dans son lit si je les avais laissées faire! Camille et moi les aurions tuées une après l'autre. Grrrrrr.

Je n'étais pas folle. Je savais bien que plus un gars est *hot*, plus il est facile de le perdre. J'avais donc fermement l'intention de reconquérir mon Renaud. Il était à moi, c'était tout. Tout ce dont nous avions parlé ensemble ne pouvait s'effacer, à commencer par faire l'amour. Nous allions découvrir ça ensemble, lui et moi. Il m'avait avoué, presque comme s'il en avait honte, que je serais aussi sa « première ». Je ne savais pas pourquoi, mais ça semblait l'embarrasser comme s'il pensait qu'il devait tout savoir, tout connaître, tout maîtriser. Moi, même si cette révélation m'avait d'abord étonnée, elle faisait bien mon affaire; je me sentais bien plus à l'aise avec quelqu'un d'aussi inexpérimenté que moi! Et puis, il fallait bien commencer quelque part. Il m'avait fait jurer de ne le dire à personne, surtout pas à ses amis. Je n'aurais pas fait ça. Je savais qu'il détestait ne pas être parfait, ne pas être en contrôle. Ce que j'avais redouté, alors que nous étions ensemble, était qu'il lui prenne l'idée d'aller chercher de l'expérience ailleurs, avec une autre fille. Nous n'étions plus ensemble, mais je craignais exactement la même chose. Pas parce que je me sentais moins attirante qu'elles, simplement parce que je voulais le garder pour moi toute seule et qu'il n'avait besoin de personne d'autre: je pourrais lui donner, le moment venu, tout ce qu'il voulait. Mais moi, je le ferais pour les bonnes raisons, par amour pour lui, pas juste pour avoir l'air *hot.* En tout cas. Depuis que nous ne sortions plus ensemble, ces filles ne m'avaient plus dans les pattes, et Renaud était libre de faire ce qu'il voulait. J'étais donc d'autant plus fière de constater qu'il ne mordait pas à l'hameçon ou en tout cas, pas ouvertement. Il devait attendre, lui aussi, le bon moment pour que nous reprenions les choses là où nous les avions laissées. Je n'avais donc qu'à être patiente; en attendant, je m'occupais avec Camille à parler dans le dos des filles que je détestais le plus.

Fallait bien passer le temps! Puis, Cassandra est arrivée dans le décor.

Chapitre 5

Cassandra

À cette époque, de toutes les filles de l'école qui pouvaient représenter une menace, elle était la dernière dont je me serais méfiée. Dire qu'elle était complètement *looser* avant qu'on lui fasse une place dans la gang, Camille et moi ! Nous aurions sans doute continué à l'ignorer jusqu'à la fin du secondaire, mais tout à coup, elle s'est mise à se transformer.

Nous savions bien sûr qui elle était; elle fréquentait la même école que nous depuis le début du secondaire, après tout. Mais à cette époque-là, elle était complètement effacée, invisible. Tellement invisible que pratiquement tout le monde l'ignorait. Nous ne comprenions d'ailleurs pas comment il se faisait qu'elle soit amie avec Anne-Sophie Létourneau, la pire greluche de l'école, qui était tout son contraire, autant physiquement que pour le reste. Il paraît qu'elles étaient amies depuis l'enfance, comme si ça excusait tout.

Je ne sais pas exactement ce qui s'est passé dans la vie de Cassandra. Celle qui était tellement ordinaire qu'on ne la différenciait à peu près pas des murs de l'école, se mit à changer. De légèrement grassouillette et hyper mal habillée, elle devint presque *cute* en l'espace de seulement quelques semaines. Sa transformation était en fait assez réussie. Elle n'a pas fait la même erreur que d'autres filles qui en font trop, d'un seul coup. Elle a fait ça graduellement, acquérant un peu plus d'assurance chaque jour. Elle a changé ses horribles lunettes et son style vestimentaire, a commencé à se maquiller, a complètement transformé ses cheveux. On se serait cru dans un film de Walt Disney: la fille maladroite et ridicule qui se transforme en princesse. Nous avons été étonnées et sceptiques au début, mais avons vite réalisé qu'elle faisait les bons efforts et, pour nous prouver que nous pouvions être charitables, nous l'avons prise sous notre aile.

Nous étions pleines de bonnes intentions et croyions qu'il en était de même pour elle... Son talent en écriture était incroyable et elle obtenait des notes imbattables en français, ce qui nous faisait cruellement défaut. Comme nous avions un projet humanitaire ambitieux pour Haïti, nous nous sommes vite rendu compte que sa collaboration pourrait nous être utile, surtout qu'elle devenait de plus en plus « regardable ». Alors, on a été gentilles avec elle. On lui a présenté plein de monde, on l'a intégrée dans nos activités. J'avoue que nous y prenions plaisir, Camille, Aurélie et moi, car elle était un peu notre « bonne action ». Elle avait vraiment l'air inoffensif, comme une chenille qui devient enfin papillon. On l'a même aidée à achever sa transformation.

C'est comme ça qu'elle a commencé à s'occuper de toutes les lettres de sollicitation, les présentations de l'organisme et, comme elle travaillait dans un club vidéo, elle a installé une grande affiche que nous l'avions tout de même aidée à faire, et amassait chaque jour pas mal d'argent de cette façon. Cassandra ne demandait qu'à se rendre utile et ça faisait notre affaire. C'était bien peu en échange de notre amitié !

N'empêche qu'elle a essayé d'inclure ses deux amies dans le projet, mais c'était tout de même exagéré de sa part. Nous étions bien d'accord pour faire un bon geste en l'intégrant, elle, mais nous n'allions tout même pas nous embarrasser de ces deux épaisses inutiles qui n'avaient rien à nous donner en échange ! Nous lui faisions déjà une faveur, fallait pas exagérer.

C'est un soir d'automne que je me suis vraiment doutée qu'elle pouvait représenter une réelle menace. Nous étions chez Camille, et Renaud était là avec plusieurs de ses amis dont Alex, le chum de Camille. Il ne fallut pas beaucoup de temps pour que Renaud remarque Cassandra. C'est vrai qu'elle avait pris soin de bien mettre son décolleté en évidence, comme elle le faisait depuis peu. Ce détail m'agaça au plus haut point, surtout de voir combien Renaud y était sensible. Le voilà qui parlait avec elle, qui lui souriait, comme si elle était la personne la plus intéressante du monde. Grrrrr. Je pris Camille à part et lui demandai de faire quelque chose. Elle me regarda bizarrement, ne sachant pas trop si j'étais sérieuse.

— Tu penses vraiment qu'elle l'intéresse ?

— Duh ? T'as vu comment il la regarde ?

— Ouain, mais je pense qu'elle tripe sur un gars avec qui elle travaille au vidéo...

— Ça veut rien dire. Fais quelque chose !

— Qu'est-ce que tu veux que je fasse, au juste ? Là, il se passe pas grand-chose, j'aurais l'air folle...

— T'es en train de dire que c'est mon imagination ? Je croirais entendre Renaud !

— Non, non... bin en fait, peut-être que c'est ton imagination, oui, un petit peu au moins. On s'énervera pas tout de suite. J'te promets que si je vois qu'il a l'air de se passer quelque chose d'inquiétant, je vais m'en occuper, OK ?

— Ouain, OK.

— Au fait, Cassandra sait pas ce qui se passe entre toi et Renaud, hein ?

— Non, en tout cas, j'y en ai jamais parlé, ça a pas adonné.

— Bon, tu vois, elle peut pas deviner, je suis sûre qu'elle est juste *friendly*.

— Ouain. Mettons. Mais j'garde l'œil sur elle, tu devrais, toi aussi!

— Promis, Caro.

Elle me prit dans ses bras et me tira la couette gauche du toupet, notre petit signe depuis toujours que nous étions « du même bord, amies pour toujours ». Je fus un peu rassurée, mais pas complètement. Et j'avais raison. Parce qu'à peine une heure plus tard, Renaud offrit à Cassandra de la raccompagner en voiture. Pas moi, elle. La garce. Je ressentis ma première bouffée de haine pure et totale envers elle. Ça ne faisait que commencer.

* * *

Le lendemain matin, Camille arriva chez moi de bonne heure. Elle était toujours en pyjama.

— OK, je sais que t'es fru, mais j'te jure que je vais parler à Renaud et à Cassandra, aujourd'hui, si possible. Je vais savoir ce qui s'est passé, même si je suis sûre qu'il s'est RIEN passé, et je vais lui expliquer.

— T'es mieux de lui parler, toi, parce que moi, je veux pas lui voir la face...

— Arrête de t'énerver. Tu l'sais bien, Renaud y a

pas été avec personne d'autre depuis que vous avez cassé, c'est sûr que c'est juste parce qu'il attend un signe de ta part.

— C'est la semaine prochaine, au party de Noël du centre communautaire, que je vais faire mon *move*, tu le sais. C'est là que je vais, bin, que je voulais lui parler!

— Et tu changeras pas tes plans, y a pas de raison. Tu vas voir, ça va bien aller.

— Tu vas être là pour moi, hein?

— C'est sûr, je vais être toute à toi parce qu'en plus, Alex peut pas venir, faut qu'il aille à Québec avec ses parents, c'est trop poche!

— Oh, je suis désolée pour toi! Mais on va pouvoir fêter ensemble, d'abord!

— Là tu parles!

Elle retourna chez elle et je me sentis le cœur plus léger, persuadée que tout se passerait pour le mieux. Tellement que lorsqu'elle m'attrapa par la manche lundi matin entre les deux premières périodes, j'avais déjà presque tout oublié de l'épisode Cassandra.

— Je lui ai parlé, Caro. C'est exactement comme je pensais: elle savait pas du tout ce qui se passe entre Renaud et toi. Elle m'a juré qu'il était rien arrivé du tout et qu'elle a bien compris la situation entre vous deux. Elle ne voudrait surtout rien gâcher!

— Non, elle a bien raison, parce que ça serait laid... pour elle.

— On n'aura pas besoin d'en arriver là, tout est sous contrôle.

Elle tira sur ma petite couette, tout allait comme sur des roulettes. Cassandra avait de quoi être reconnaissante envers nous pour le reste de ses jours, et je savais que nous pouvions compter sur son indéfectible loyauté. Ça valait mieux pour elle, elle était assez intelligente pour le savoir. OK, je voulais bien lui laisser une chance.

* * *

Je passai le samedi à magasiner avec Camille. Il me fallait trouver les vêtements parfaits pour le party, cette soirée spéciale, celle où Renaud et moi allions recommencer notre belle histoire. Camille était surexcitée, comme si elle savait quelque chose que j'ignorais, mais de mon côté, j'essayais de ne pas être trop optimiste. Oui, je ferais tout pour créer ma chance, ma mère serait fière de moi. Elle avait bien fini par deviner ce qui s'était passé et je n'avais pas pu me retenir de tout lui raconter. Je l'avais regretté sur le coup, mais je devais admettre que ça m'avait fait du bien. Et puis ses encouragements à me prendre en main m'avaient fait sourire et j'étais plus déterminée que jamais. Mais en même temps, j'avais une petite appréhension. Une autre phrase de ma mère me revenait, en même temps que son discours sur la pensée positive, celle où elle me disait qu'il fallait aimer quelqu'un pour les bonnes raisons. Je n'avais pas la moindre idée si c'était mon cas ou non. J'aimais le Renaud calme et souriant, je détestais celui qui était méchant et méprisant, alors, j'avais parfois de bonnes raisons, parfois de moins bonnes, et c'était mélangeant. Je me demandais surtout comment il faisait pour être deux personnes aussi différentes à la fois et, comme je n'arrivais pas à trouver de réponse convaincante, ça m'inquiétait un peu. Alors, je fis comme je fais toujours dans ces cas-là, j'arrêtai d'y penser. Il ne me servait à rien de m'attarder à ces pensées déplaisantes, car la soirée se passerait comme prévu.

Il avait été planifié que Cassandra viendrait nous rejoindre chez Camille pour que nous partions pour la fête ensemble. Quand elle est arrivée, j'ai tout de suite su que Camille avait dit vrai. Cassandra ne voulait que mon bonheur et ne ferait rien pour le gâcher. Cette partie de l'histoire était donc réglée. Elle m'a souri, un sourire qui avait l'air sincère, et je l'ai prise à part, au salon.

— Camille t'a parlé... Renaud est vraiment important pour moi, je suis contente que tu comprennes.

— Bin oui, je comprends! C'est sûr, Caro. Avoir su, je lui aurais même jamais parlé!

— C'est fin de dire ça, t'es une bonne amie, Cass…

— Bin non, c'est juste normal. Je trouve que vous allez faire un beau couple, Renaud et toi…

Je ne sais pas pourquoi, mais ses paroles m'ont mis les yeux dans l'eau. Je l'ai prise brièvement dans mes bras pour lui montrer que tout était OK, et je suis repartie me préparer. Il fallait absolument que tout soit parfait, que moi, je sois parfaite.

Quand la mère de Camille nous a déposées au centre communautaire, il y avait déjà plein de monde. Parfait. Il ne fallait surtout pas arriver parmi les premiers, c'est trop *fail*. La salle était décorée de façon un peu exagérée, mais vu que c'était le temps des fêtes, ça passait. Nous sommes allées danser et je ne pouvais pas m'empêcher de regarder Cassandra. Elle était belle, et il fallait absolument que je sache où elle avait acheté ses bottes. J'en voulais trop une paire, moi aussi. Il y avait cependant plus que ses bottes. Cette fille pourrait réellement devenir une vraie menace si je ne faisais pas attention. Elle avait quelque chose que je n'avais pas, à part la poitrine: elle ne réalisait pas à quel point elle était belle et comment les gars présents la regardaient. Dommage pour elle, tant mieux pour moi et pour les autres filles. Mais c'est dangereux, une fille qui ne réalise pas à quel point elle est attirante, très dangereux, même, parce qu'on ne se méfie pas d'elle. Tout en me jurant de rester sur mes gardes, je refusai d'assombrir mon humeur pour ça. Il serait toujours temps d'y revenir, au besoin.

Renaud était là avec ses amis, mais il avait plus ou moins l'air de m'ignorer. Il s'approcha enfin de moi, ou plutôt de nous. Il me sourit, puis sourit à Cassandra, et je crus la voir se raidir. Elle jeta un rapide coup d'œil dans ma direction en rougissant. Qu'est-ce qu'elle me cachait, au juste ?

Je m'approchai de Renaud, lui demandant comment il allait; il me répondit de manière assez évasive et partit se chercher quelque chose à boire. Ça tombait bien, j'avais soif justement ! Je choisis une liqueur, mais lorsque je vins pour lui parler, il se retourna pour saluer un de ses amis qui venait d'arriver. Je ne me laissai pas démonter, mon tour viendrait. En attendant, j'avais bien l'intention de m'amuser. Je partis rejoindre Camille qui faisait des folies sur la piste de danse. Sans nous donner en spectacle, nous nous amusions à déconner, à nous défouler, et ça faisait du bien. Je reconnus avec joie les premiers accords de ma chanson préférée, celle qu'il FALLAIT que je danse avec Renaud, celle que nous avions déjà dansé ensemble plusieurs fois et que je considérais comme « notre » chanson. Le message était on ne peut plus clair !

Il me vit approcher et me sourit. Je crus voir qu'il avait l'air de chercher quelque chose ou quelqu'un dans la foule, mais je chassai aussitôt cette pensée.

Je me blottis avec délice dans ses bras, essayant de lui montrer combien j'étais bien, espérant que c'était la même chose pour lui. Camille me regarda, me fit un clin d'œil, et je poussai un long soupir. Je n'osais pas rompre le charme, je voulais rester là pour toujours, mais c'était le moment ou jamais de régler notre situation. Je me raclai donc la gorge et, fidèle à mon habitude, je plongeai :

— Je suis bien, Renaud...

— Ah, bin moi aussi !

— Je m'ennuie. Je sais que j'ai fait des gaffes, je m'excuse. Mais t'sais, c'est parce que je tenais à toi. J'ai eu le temps de réfléchir...

Je fis une pause, espérant qu'il dise quelque chose, mais son silence me força à poursuivre :

— Penses-tu que tu pourrais me donner une autre chance, Renaud ? Penses-tu qu'on pourrait arrêter de niaiser de même ? Je l'sais qu'on est supposés être ensemble, et je sais que tu le sais, toi aussi...

— Non, je l'sais pas, Caro. Depuis le temps que je te connais, je voudrais pas profiter de toi. Le dernier mois m'a fait voir que je suis mêlé ce temps-ci pis je sais pas trop ce que je veux...

— Comment ça? Je sais que t'as pas sorti avec personne d'autre!

— Bin non, mais je pense que je suis bien, tout seul. C'est peut-être juste pas le bon temps, t'sais ce que je veux dire? Peut-être qu'un autre moment donné ça va l'être...

— Bin là! C'est quand que tu vas le savoir?

— Je peux pas répondre à ça, voyons, je l'sais-tu, moi? Commence pas à me stresser, Caro, ça se décide pas d'avance, ces affaires-là!

— Bon, bin si tu veux pus de moi, t'as juste à le dire!

— Ah, Caro, c'est pas ça. T'es la seule fille que j'ai jamais aimée, mais là je sais rien.

Je demeurai silencieuse. J'appréciais sa franchise et je préférais qu'il me dise ça que faire semblant ou dire n'importe quoi, mais j'avais tellement espéré autre chose! Je n'arrivais pas à croire que je m'étais *excusée*, que je l'avais presque *supplié* de me donner une chance et que tout ce que j'en récoltais était ceci. Quoi? Mon plan n'avait pas marché? Je m'appuyai sur son épaule et lorsqu'il a commencé à me flatter le dos, j'ai craqué. Je me suis sauvée aux toilettes en courant. Il n'était pas question qu'il me voie pleurer, et mes yeux débordaient, autant de rage que de dépit.

J'espérais que Camille me suivait même si je n'en doutais pas une seconde. Elle avait l'air bouleversée et me prit dans ses bras.

— Qu'est-ce qu'il a dit?

Je lui racontai et elle me serra encore plus fort. Puis elle me força à la regarder et me dit:

— T'sais, Caro, quand un gars dit qu'il sait pas ce qu'il veut, c'est souvent parce qu'il sait VRAIMENT pas ce qu'il veut. C'est pas comme nous autres qui, des fois, prenons ça comme excuse parce qu'on veut pas faire de la peine à quelqu'un. La bonne nouvelle, c'est qu'il a pas dit qu'il voulait plus jamais sortir avec toi, juste qu'il pensait pas que c'était le bon moment, là maintenant. Y a sûrement autre chose à vivre qu'il veut vivre tout de suite, avant que vous recommenciez à sortir ensemble pour de bon. C'est mieux de même. Au moins il te jouera pas dans l'dos, tu penses pas?

Je reniflai un bon coup avant de continuer.

— Ouain, j'imagine. C'est sûr que si y a envie de triper avec d'autres filles ou quelque chose, j'aime mieux qu'il fasse ça maintenant. Mais je veux pas qu'il soit avec d'autres filles! J'étais tellement sûre que ça serait lui, mon premier, et c'est encore ça que je veux! Pis je veux être la première pour lui aussi, bon! C'est pas compliqué, me semble!

— Justement, peut-être qu'il veut pas avoir l'air

nono la première fois avec toi, peut-être qu'il *choke* parce qu'il sait que c'est important pis que t'as hâte...

— Ça serait pas mal con ! J'aimerais cent fois mieux qu'il fasse ça tout croche, mais que ça soit sa première fois lui aussi, voyons donc ! J'm'en fous complètement comment ça se passe d'abord que c'est avec lui. On était tellement proches de le faire ! C'est pas juste, c'est vraiment con !

Je pleurai de plus belle, et cette fois c'est la frustration qui faisait couler mes larmes. Je trouvais la situation complètement ridicule. Renaud ne comprenait rien à rien. Je ne voulais pas le marier, je voulais juste être avec lui ! En tout cas, je ne voulais pas le marier *tout de suite...* Je ne pus que dire :

— Maudit que c'est con des gars des fois !!!

— Ouain, t'as bin raison, je sais pas comment ça se fait qu'on les aime pareil !

Je réussis à sourire à travers les larmes. Je voulais partir. Ce party ne me disait plus rien. Je sentais que j'arriverais à contrôler le flot de larmes, mais j'étais tout de même déçue, fâchée, dépitée et triste à mourir.

Camille décida qu'elle en avait assez de la fête, elle aussi. Elle téléphona à sa mère pour lui demander de venir nous chercher et s'en alla dire aux autres que nous partions alors que moi, je l'attendais près de la sortie. Je n'avais pas envie de leur montrer mes yeux rouges et gonflés, mon mascara tout barbouillé et mon nez qui coulait toujours. Je n'avais pas besoin de ce genre d'humiliation, même si je savais que, de la part de mes amies, à tout le moins, je ne recevrais que marques de courage et d'amitié. Pour l'instant, je ne voulais même pas ça! Et puis Renaud était toujours là, souriant et parlant avec ses copains comme si rien d'important ne venait de se passer. C'est sans doute ce qui me blessa et me fâcha le plus, et je sentis un flot de larmes fraîches me remplir les yeux. Comment pouvait-il être aussi insensible? Parce qu'il était un gars évidemment et, tout le monde le sait, les gars sont tous soit insensibles, soit incapables de montrer leurs sentiments. C'était tellement enrageant! C'était la deuxième fois que Renaud me rejetait. La deuxième fois que les choses ne se passaient pas tel que je les avais décidées et je ne trouvais pas ça drôle du tout.

La mère de Camille arriva enfin et il était clair qu'elle avait du mal à comprendre pourquoi nous avions voulu qu'elle vienne nous chercher aussi tôt; mais Camille lui fit un petit signe et elle ne posa aucune question. Comme je l'aimais, mon amie! Je savais que Camille serait toujours là pour moi, pour me soutenir, me protéger et surtout, me comprendre...

Chapitre 6

Haute trahison

Il était prévu depuis longtemps que je passe la nuit du party chez Camille. Évidemment, j'avais alors pensé que nous fêterions le fait que j'étais de nouveau avec Renaud, mais bon. Au lieu de ça, elle m'a réconfortée; nous avons parlé de tout et de rien, tenté de comprendre ce qui pouvait bien se passer dans la tête des gars avant de conclure que, décidément, ils étaient difficiles à comprendre. Nous avons élaboré toutes sortes d'histoires, extrapolé dans tous les sens, nous demandant si Renaud avait une autre conquête en vue et qui; nous ne manquions pas d'imagination et à peu près toutes les filles de l'école éveillaient nos soupçons. D'accord, il s'agissait avant tout de mes soupçons à moi, mais Camille m'appuyait totalement, autant pour ça que pour mes idées de vengeance. Elle n'était pas toujours d'accord avec mes excès de jalousie, mais quand il s'agissait de se venger d'une injustice quelconque, elle était toujours là et prête à intervenir.

Je n'avais pas de raison d'en vouloir à quelque éventuelle conquête de Renaud, c'était sa vie et je n'y pouvais rien. Mais je n'avais pas non plus à être d'accord! Selon la théorie retenue par Camille, Renaud voulait sans doute «prendre de l'expérience». En vrai gars, il voulait bien contrôler la situation et, même si je trouvais ça complètement idiot de sa part, j'admettais que c'était bien possible et que ça correspondait à la façon qu'il avait de vouloir être le meilleur en tout. Donc, si c'était le cas, il sortirait probablement — ou plus justement se paierait un *one night* — avec une fille sans scrupules qui ne voulait que ça, elle aussi. Le genre de filles qui nous rendaient complètement folles, Camille et moi, celles qui couchent avec n'importe qui juste pour avoir l'air *hot*, comme toutes les Anne-Sophie de ce monde.

Ce qui nous enrageait le plus de ces filles-là, c'était qu'après, les gars s'imaginaient qu'ils pouvaient s'attendre à la même chose de toutes les autres filles, y compris nous. Nous, au moins, savions nous respecter bien mieux qu'elles! Nous nous demandions bien pourquoi il fallait qu'elles existent, ces filles qui ne se gênaient pas pour faire toutes sortes d'affaires dégueulasses comme si elles étaient dans un film porno. Et surtout, nous avions vraiment du mal à comprendre que nos chums envient les gars qui avaient cette «chance». Pfff!

— Au moins, la bonne nouvelle, conclut Camille,

c'est que si c'est ça qui arrive, s'il se ramasse avec une greluche pour un soir, on sait que ça pourra pas durer longtemps ni vouloir dire grand-chose. Les gars sont pas amoureux de ces filles-là. Renaud pourra jamais en aimer une autre que toi pour vrai, ça j'en suis sûre. Tu vas voir, j'ai raison.

Je voulais tant la croire! J'étais même prête à accepter — très difficilement, mais accepter quand même — qu'il aille voir comment les choses se passaient ailleurs, tant qu'il me revienne et pour les bonnes raisons. Je l'aimais à ce point. C'était complètement fou!

Il était tard, et nous allions nous installer devant un film lorsque l'alerte de messages du téléphone de Camille se mit à sonner sans arrêt. Les messages textes s'affichaient à une vitesse incroyable, les mots apparaissant sur le petit écran comme s'ils étaient criés à tue-tête. Ça venait d'Aurélie:

« OMG, Cam, tu le croiras jamais. »

« Renaud y a... »

« Avec ELLE! J'aurais jamais pensé! »

« Viennent de sortir du bureau, sont tt dépeignés! »

« A se cache avec son manteau! »

Je n'en pouvais plus, Camille non plus. Rageusement, elle tapa sur son petit clavier:

« AVEC QUI??? »

La réponse me sauta au visage comme une gifle:

« Cass... »

Cassandra Lemieux-Richer. J'allais la tuer. N'en pouvant plus de texter, Camille composa le numéro d'Aurélie et je l'entendis lui parler, mais je n'écoutais pas vraiment. Finalement, elle me raconta qu'Aurélie et toutes nos amies avaient vu Renaud et Cassandra sortir séparément du bureau situé au fond de la salle — comme s'ils pensaient vraiment faire croire à tout le monde qu'ils sortaient de là par hasard —, puis, qu'ils étaient partis ensemble dans l'auto de Renaud. Je l'entendais comme de loin et la colère m'empêchait de réfléchir. Cassandra. Celle que nous avions prise sous notre aile parce qu'elle faisait un peu pitié. Celle que nous avons intégrée à notre groupe parce qu'elle faisait de gros efforts pour se sortir de son rôle de *looser,* celle qui avait l'air de ne pas être capable de faire de mal à une mouche. La fille à qui j'avais même dit, à peine quelques heures plus tôt, qu'elle était une bonne amie. Je la haïssais comme je n'avais jamais haï quiconque.

Lorsque je vis le petit sourire méchant de Camille se dessiner sur son visage, je compris qu'elle la détestait soudainement tout autant que moi. Je sentis aussi ma bouche s'étendre et me dis que je ne voudrais vraiment pas être dans les souliers de Cassandra. Elle allait payer. Cher. Étonnamment, nos deux têtes pleines de tout ce que nous allions lui faire subir, Camille et moi avons fini par nous endormir aux petites heures du matin.

* * *

Dès mon réveil, je voulais aller chez Cassandra et l'engueuler en premier, puis la frapper et finalement l'égorger. C'est Camille qui m'a empêchée de réagir trop vite. Je n'aurais pas fait tout ça, évidemment, c'était juste une façon de parler. Mais Camille voulait d'abord parler à Renaud. Elle disait qu'ils étaient amis depuis assez longtemps pour qu'elle lui donne la chance d'expliquer ce qui s'était passé. Et aussi pour avoir des détails, croustillants avec un peu de chance, qui attiseraient davantage notre rage. Elle avait commencé par le texter plusieurs fois, mais sans succès; il ne répondait pas non plus à son cellulaire. Elle finit par le joindre au téléphone vers onze heures. Je ne voulais pas vraiment entendre leur conversation, et pourtant, c'était plus fort que moi. Je n'entendais que Camille, mais son expression en disait long.

— Renaud, je sais que t'as pas envie de me parler, mais… raccroche pas, OK?

— …

— Tu le sais pourquoi je t'appelle, fais pas l'innocent,

— …

— Bin oui, je suis toute seule, Caro est chez elle.

Elle me regarda et me fit un clin d'œil. Puis, après avoir laissé Renaud parler un peu, elle lui demanda directement :

— Renaud, les filles racontent plein d'affaires. C'est vrai que t'es parti du party avec Cass, hier soir ? Est-ce que tu sors avec ?

— …

— Ouais, non, j'en parlerai pas à Caro. Uh-hum. Faut quand même que je lui dise avant qu'elle l'apprenne à l'école. Tout se sait, tu l'sais bien…

— …

— Je sais, ça veut rien dire, mais tu connais Caro et tu sais ce qu'elle espérait.

— …

— OK, a va être contente de savoir ça quand même. Ouain, bye…

Camille raccrocha et me regarda un long moment, comme si elle ne savait pas trop où commencer. Leur conversation n'avait duré que quelques minutes, mais apparemment, elle avait appris ce qu'elle voulait. Malgré leur amitié de longue date, j'étais étonnée que Renaud ait accepté de lui parler ; il savait sans doute qu'elle n'abandonnerait pas, qu'elle le talonnerait sans relâche, et c'était tout à fait vrai. Mon amie a la tête dure, c'est pour ça que je l'aime, entre autres... Elle prit une longue inspiration et me raconta:

— Il voulait rien me dire, tu sais bien! Mais depuis le temps qu'on se connaît, il a pas osé me mentir. J'le verrais bien faire ça! En tout cas, il a avoué que oui, il était parti avec Cassandra et qu'il l'avait ramenée chez elle. Il avait pas le choix, qu'il m'a dit: «Avec ce qu'on venait de faire, j'étais pas pour la laisser partir à pied, je suis pas un salaud, quand même!» Mais il a aussi dit que ça voulait rien dire, qu'il sortait pas avec elle, que c'était juste de même, pour le fun. A voulait pis y était à l'envers après t'avoir parlé, faque il s'est dit: «Pourquoi pas?» Y est épais, mais au moins y est honnête!

Je ne savais pas quoi dire. Il avait avoué. Pas exactement, pas totalement, puisque nous ne savions pas ce qu'il avait fait au juste, mais je n'avais pas besoin de le savoir plus précisément. Cassandra avait dû mettre le paquet et avait profité du fait qu'il était «mélangé» pour lui sauter dessus. Miss Innocente. Même si je la voyais sous un tout nouveau jour, j'imaginais trop bien ce qu'elle avait pu faire pour le convaincre de se laisser aller. Sans doute même que c'était son plan dès le départ, qu'elle m'avait menti en prétendant qu'elle ne ferait rien pour me nuire. Je l'entendais encore me dire: «Je trouve que vous allez faire un beau couple,

Renaud et toi... » L'avoir eue devant moi, je l'aurais dévisagée, je lui aurais arraché les cheveux, cassé les dents. Elle aurait l'air de quoi, complètement chauve et plus de dents ? Cette pensée me fit sourire, mais Camille recula d'un pas.

— Ouf, Caro, j'aime pas ta face...

— Attends, t'as rien vu.

J'étais maintenant d'accord avec Camille sur un point. Je ne devais pas aller chez Cassandra pour lui dire ce que je pensais d'elle, et je ne lui ferais pas mal, du moins pas physiquement. Ça aurait été trop doux, et surtout, trop facile. J'allais plutôt lui montrer qu'elle avait fait une grosse, grosse erreur. Camille était tout à fait d'accord.

* * *

En arrivant à l'école le lundi matin, j'affichai mon plus beau sourire. Ce fut en fait assez facile parce que toutes les filles me montrèrent, avant même que la première cloche sonne, qu'elles étaient de mon bord et qu'elles trouvaient Cassandra vraiment chienne d'avoir fait ce qu'elle avait fait. Je n'avais pas besoin de leur réconfort, mais je l'utilisais pour m'aiguiser les dents. Je réussis sans mal à éviter Renaud; je lui en voulais, à lui aussi, mais pas autant que je l'aurais cru. Je le croyais quand il disait qu'il était mêlé, et que ce qui s'était passé avec Cassandra

« ne voulait rien dire ». Il m'avait dit assez souvent qu'il n'était pas vraiment intéressé au genre de filles qui se pendaient à son cou et pour une fois, ça me suffisait. J'avais du mal à avaler que je ne serais pas la première fille avec qui il ferait l'amour, par contre, mais je m'accrochais à ce que Camille m'avait dit, trouvant que ça avait de plus en plus de sens : ce qu'il avait fait avec elle n'était pas *faire l'amour.* C'était *baiser,* ce qui était très différent. Avec moi, il serait là de tout son cœur, pas juste de tout son corps, et c'était bien plus important. Avec moi, ça voudrait dire quelque chose de vrai et, surtout, de durable. Je savais bien que, pour les gars, ces choses-là sont différentes. De plus, Camille faisait constamment valoir le point qu'il avait fait ça pendant qu'on ne sortait PAS ensemble, concluant du même souffle que j'avais eu tort de ne pas lui faire confiance avant. Ça prouvait qu'il n'était pas un *player,* qu'il ne m'aurait pas joué dans le dos. Quand il était avec moi, il n'était qu'avec moi et s'il ne l'était pas, il était libre de faire ce qu'il voulait. Peut-être que c'était sa façon de se préparer à s'engager plus sérieusement avec moi, ce qui n'était pas complètement bizarroïde venant d'un gars comme lui. Raison de plus pour lui pardonner ce petit écart. À lui, oui, mais pas à elle. Lui, il était mêlé, comme il me l'avait dit, mais elle, je la détestais tellement, avec ses grosses boules ! Cet aspect d'elle était le seul duquel j'étais vraiment jalouse. Avec mes petits seins niaiseux, je ne lui arrivais pas à la cheville. Mais il y a plus important que ça, non ? Les gars sont-ils vraiment aussi cons pour ne s'attarder qu'à la grosseur de la poitrine ?

Camille, Aurélie et toutes les autres avaient l'air d'avoir le même but que moi : montrer à Cassandra qu'on ne traite pas ses supposées amies comme ça. Ce serait pour elle une leçon de vie, et peut-être qu'en lui enseignant cette vérité, nous l'empêcherions de faire la même chose à d'autres. Nous rendions service à tout le monde, en fait, comme disait Camille. Des filles comme elle profitaient de tout le monde et c'était à nous de l'arrêter.

Ce midi-là, j'étais à notre table habituelle, avec Camille et plusieurs autres, en train de parler de toutes sortes de choses, comme du fait que l'école au grand complet avait l'air au courant de ce qui s'était passé. Ce qui nous renversait surtout était la réaction tellement stupide des garçons qui, en entendant parler de ça, avaient tous un peu de bave leur coulant au coin de la bouche. Je n'étais pas étonnée, mais je les trouvais dégoûtants et totalement immatures.

— Il paraît qu'elle aime ça à plusieurs, disait l'une.

— Renaud l'a même pas ramenée chez elle : il l'a laissée dans un autre party. Faut croire qu'elle en voulait encore ! disait une autre.

— Ouais, j'ai entendu dire qu'avant de se tenir avec nous autres, elle faisait profiter de ses grosses boules à une gang de gars de son ancienne école...

Je ne savais trop que penser. Il y avait sans doute un peu d'exagération; ça arrive, parfois. Mais dans ce cas précis, je n'aurais pas été surprise que tout soit vrai. Comment savoir, au fond, ce que les gens font quand on ne les voit pas?

Camille arrêta soudainement de parler et leva la tête. Cassandra approchait, son plateau à la main, comme si elle venait nous rejoindre. Elle était soit courageuse ou soit vraiment inconsciente. Camille se leva comme si un ressort l'avait propulsée et s'exclama:

—Tu t'en viens quand même pas t'asseoir avec nous autres?

Cassandra semblait ne rien comprendre. Je devais bien lui accorder qu'elle jouait le rôle de la fille étonnée à merveille. Camille poursuivit:

— Ah, fais pas l'innocente! Renaud nous a raconté comment la soirée a fini samedi. En détail. On pensait pas que t'étais de même, Cassandra, on pensait pas que t'étais du genre à coucher avec un gars aussi vite que ça, surtout un gars avec qui ta supposée amie essaie de reprendre. À entendre les sortes de cochonneries que t'as faites, je peux pas croire qu'on t'a fait confiance!

J'admirais l'aplomb de Camille. Je n'aurais pas fait mieux. Renaud ne nous avait, à vrai dire, donné aucun détail, mais ça ne changeait pas grand-chose à toute l'histoire. Cassandra réussit encore une fois à trouver le ton juste de celle qui ne sait pas de quoi on parle :

— Quoi !? Qu'est-ce que tu racontes ? Comment ça, des cochonneries ?

—Arrête, tu le sais bien ! Y a plein de monde qui ont vu comment t'as sauté dessus aussitôt qu'on était parties ! Ils vous ont vus aller dans le bureau, pis après ils t'ont vue en sortir avec Renaud.

Elle regarda les autres filles autour de la table qui toisaient Cassandra avec un sourire narquois, puis elle poursuivit :

— T'avais l'air pressée de continuer, il paraît ! Y avait peut-être d'autres gars qui t'attendaient quelque part ?

Sa réponse fusa instantanément et, honnêtement, j'y crus presque :

— QUOI ??? C'est pas ça qui est arrivé pantoute !

Je n'étais pas étonnée qu'elle nie. Les filles comme ça nient toujours quand elles sentent qu'elles sont allées trop loin et qu'elles sont au pied du mur, ce qui était bien son cas. Elle regarda autour et réalisa que presque tout le monde dans la cafétéria nous observait. Elle fixa le plancher et essaya de nous lancer un regard suppliant, mais nous l'avons ignorée. Elle resta plantée là quelques instants et partit enfin s'asseoir ailleurs, quelque part où nous n'aurions pas à voir sa face d'hypocrite. Tant mieux. C'était fait, elle savait maintenant à quoi s'en tenir, une bonne chose de faite.

Je passai le reste de l'heure du dîner avec les filles et essayai de faire taire la petite voix fatigante qui ne cessait de me dire que Cassandra disait peut-être la vérité. Elle avait l'air tellement sincère ! Cependant, comme Camille et les autres me l'avaient bien souligné, mentir sans en avoir l'air était un de ses plus grands talents et il ne fallait pas que je me fasse avoir encore une fois. C'était plus simple de me rallier à ce qu'elles affirmaient, de toute manière, et me venger de quelqu'un ou de quelque chose m'avait toujours fait le plus grand bien. Je me sentais généralement plus forte après. Puis, quelques minutes avant la reprise des cours, Viviane est venue nous rejoindre et a fini de me convaincre :

— Hey, les filles, vous en avez manqué une pas pire ! Cassandra est allée voir Renaud, tantôt, pendant qu'il jouait au pool.

Elle a bien sûr obtenu toute notre attention sur-le-champ. Comme nous étions pendues à ses lèvres, elle a continué :

—Elle a commencé par l'accuser de raconter

n'importe quoi. Elle disait que c'était pas vrai qu'elle avait couché avec, qu'il le savait très bien, qu'elle voulait savoir pourquoi il disait ça.

Elle se tut, laissant durer le suspense, ce qui me sembla une éternité. Elle conclut enfin :

— Bin, Renaud a répondu ce qu'on savait tous : il lui a dit qu'elle aurait dû lui dire si elle voulait pas que ça se sache, que lui avait trouvé ça l'fun, pourtant. Pis là, elle s'est mise à brailler comme un bébé. Renaud y a fini par lui dire que si a voulait tant que ça recommencer, qu'elle avait juste à lui dire, qu'elle avait pas besoin de pleurer. Elle est partie en courant j'sais pas où.

Camille me regarda :

— Bon, tu vois bien ? Qui tu vas croire : une fille que tu connaissais même pas avant le début de l'année, une *looser* qui ferait tout pour avoir l'air cool y compris gagner notre amitié et te piquer ton chum, ou Renaud qu'on connaît depuis toujours et avec qui t'as sorti pendant des mois ?

Elle avait raison. Renaud n'aurait pas inventé une telle histoire. Je me disais qu'il aurait pu être plus discret, qu'il aurait pu se retenir de le raconter à tout le monde même si d'autres s'étaient chargés de propager la nouvelle. Mais un gars, c't'un gars, et bon, je savais, moi, que c'était sa première fois. J'imagine que c'était normal pour un mâle de vouloir se vanter d'avoir fait une conquête. Pas que c'était sa première fois! Non, ça, je pense qu'il m'aurait tuée si je l'avais dit à sa gang de chums, mais je n'avais aucune raison de faire ça. Voilà. C'était la dernière preuve dont j'avais besoin et la petite voix dans ma tête se tut enfin. Dans mon miroir ce soir-là, je me revis telle que j'aimais me voir: déterminée, sûre de moi, belle. J'aimais ça.

Chapitre 7

Douce vengeance?

L'histoire continua de nous occuper pas mal pendant les midis et durant les cours aussi malgré les vacances qui approchaient. Il me semblait que tout le monde ne parlait que de cet épisode entre Cassandra et Renaud, même ses anciennes amies qui s'étaient ralliées à notre «cause» et ne se gênaient pas pour le montrer. Cassandra n'était pas venue à l'école le mardi. Tant mieux, je n'avais pas envie de la voir. Le mercredi, elle était de retour et tenta de faire comme si de rien n'était. Elle écoutait sa musique, faisait semblant de nous ignorer, mais je voyais dans ses yeux de petit chien battu qu'elle espérait que tout soit oublié et que les choses redeviennent comme avant. Il fallait être vraiment stupide! Comme si nous allions laisser passer ça! Elle se présenta même au local d'informatique, ce midi-là, pour la rencontre du comité du projet humanitaire. Elle avait ses grands yeux innocents, elle souriait, même, pensant peut-être que ça suffirait pour que nous lui permettions de se joindre à nous. Camille en était muette, ce qui était extrêmement rare. Moi, par contre, je ne me suis pas gênée. C'était la première fois que je lui adressais la parole depuis le soir du party, alors je tenais à ce qu'elle me comprenne bien :

— Va-t'en, on a plus besoin de toi. En fait, tu vas nous nuire ! T'es plus dans le comité, Cassandra, personne voudra nous encourager si tu restes. Tout le monde est d'accord, on n'a pas besoin d'une fille comme toi avec nous autres. Si j'entends parler de quelqu'un qui veut ouvrir un bordel, j'te le dirai !

Je vis ses yeux s'emplir d'eau et fus contente de voir que j'avais frappé fort. Yes ! Ça faisait du bien. Camille me tapa dans la main et, après le départ de Cassandra, nous avons fait la réunion sans plus penser à elle. Elle pouvait aller pleurer dans les bras de sa mère, si elle voulait, je m'en foutais complètement. Je devais admettre que ses efforts nous manqueraient, car elle avait bien travaillé pour ce projet et avait contribué à amasser pas mal d'argent, mais tant pis. Nous allions très bien nous débrouiller sans elle. Pour nous mettre de bonne humeur, nous avons commencé, ce soir-là, à nous amuser à faire circuler des messages sur MSN et Facebook, et à lui écrire des petits « mots doux ». Nous en semions aussi à l'école, sur son casier ou ailleurs. C'était un défoulement total et merveilleux.

Camille et moi observions les résultats de notre

beau travail avec un sourire aux lèvres: Cassandra était tenue à l'écart de tout et de tous, et je nous félicitai. Nous avions de l'influence, les filles et moi, c'était clair et parfait! Tout le monde semblait faire comme nous et ça ne faisait que renforcer notre message. Pour les travaux d'équipe, Cassandra se retrouvait toujours toute seule puisque pas une seule fille de l'école n'aurait voulu se faire voir avec elle. C'était, ça aussi, absolument p-a-r-f-a-i-t.

Sur la page Facebook du projet humanitaire, nous avons aussi cru bon d'informer tout le monde qu'elle ne faisait plus partie du comité. S'il avait fallu qu'elle ramasse des dons au nom du projet et qu'elle garde l'argent pour elle! Ça aurait été l'insulte suprême, et nous l'en croyions maintenant capable. Pour éviter que quiconque se fasse avoir, nous avons donc mis sa photo en conseillant à chacun de se méfier. Les réactions se multiplièrent à la vitesse de l'éclair et c'est là que nous avons pu constater qu'elle était détestée bien au-delà de nos espoirs les plus fous. Même sa chère Anne-Sophie, celle que Cassandra avait toujours défendue sous prétexte que c'était son amie d'enfance, participait en montrant à tous des photos de Cassandra quand elle était plus jeune et qu'elle était vraiment repoussante. Elle avait aussi mis sur Facebook des photos de Cassandra avec son ami Marc-Antoine, beau petit couple de *loosers*. Ça me rendait Anne-Sophie presque sympathique.

* * *

Malgré ces péripéties excitantes, ma vie manquait de piquant et mes vacances de Noël s'étaient passées de façon assez ordinaire. À part toutes ces histoires, Camille me parlait sans cesse d'Alex avec qui elle venait de casser parce qu'elle le trouvait tout à coup trop « intense ». La présence de Renaud me manquait, c'était aussi simple que ça. Je le voyais à l'école et je soupirais. Ça m'enrageait parce que j'aurais aimé être plus forte que ça et ne pas avoir autant besoin de lui, et ça me décourageait parce que j'avais l'impression de tourner en rond. Camille lui avait expliqué plusieurs fois que je ne lui en voulais pas, que j'acceptais ce qu'il avait fait, que je le comprenais jusqu'à un certain point, même. Mon amie me conseillait de le rendre jaloux; elle disait que puisque plusieurs gars rêvaient de sortir avec moi, je n'avais qu'à en choisir un pour que Renaud voie qu'il était en train de me perdre. Elle avait raison : je n'aurais eu qu'à pointer du doigt celui que je préférais, mais aucun d'eux ne m'attirait. C'était Renaud que je voulais, et seulement lui. Je n'allais pas utiliser quelqu'un pour passer un message. J'étais très bien capable de le faire moi-même.

Cependant, utiliser les gens était précisément le

genre de chose que Camille, elle, adorait faire. Je l'avais toujours su, mais ça devenait frappant. Dès qu'Alex approchait, elle s'arrangeait toujours pour trouver un gars à qui parler en minaudant. J'avais du mal à comprendre: c'était elle qui l'avait laissé, mais elle avait toujours l'air de vouloir le garder à sa disposition. Et lui, il la regardait avec ce petit air triste, et je trouvais qu'il faisait pitié. Quand j'en parlais à Camille, elle restait vague, me disant que s'il voulait s'accrocher, c'était son problème à lui seul.

Pour la première fois depuis que nous nous connaissions, je n'étais pas d'accord avec mon amie. J'avais déjà lu quelques messages qu'elle avait laissés à Alex sur Facebook. Elle affirmait qu'elle n'aurait pas dû le laisser, qu'il lui manquait. Elle lui demandait s'il pensait encore à elle, s'il l'aimait toujours. Elle disait qu'elle ne voulait pas reprendre avec lui, mais qu'elle pensait à lui. Normalement je ne m'en serais pas mêlée, ça ne me regardait pas, mais je trouvais ça vraiment égoïste de sa part et je l'aimais bien, moi, Alex. Il avait toujours été gentil et correct, et je ne comprenais pas pourquoi elle le traitait de la sorte. Il ne s'accrochait pas, comme le disait Camille: c'est elle qui l'empêchait de décrocher.

Je pense que mon malaise venait du fait que je me demandais parfois si ce n'était pas exactement ce que Renaud faisait avec moi. Il était gentil, il me souriait, semblait être content de me voir quand nous étions ensemble quelque part. Mais dès que quelque chose de plus intime se présentait, il m'évitait. En était-il conscient? Jouait-il avec mes sentiments comme Camille le faisait avec Alex? Une seconde elle lui faisait les yeux doux et la suivante, elle se pâmait sur Rémi, un ami de Renaud. Je n'aimais pas son petit jeu parce qu'il était clair qu'Alex souffrait, mais chaque fois que j'en parlais à Camille, elle me répondait quelque chose du genre: « Voyons, les gars pensent pas de même. Ils s'attachent pas à une fille comme nous autres on peut faire!» Ah non? Les yeux d'Alex disaient pourtant qu'il l'était, lui, attaché. Beaucoup, même.

De mon côté, j'avais à nouveau abandonné la guitare parce que je trouvais trop frustrant de ne pas arriver à en tirer, miraculeusement, les mélodies dont je rêvais. Je n'avais certainement pas besoin d'une source supplémentaire de frustration! En chant, ce que je voulais, c'était bien sûr étendre mon registre vocal qui était assez limité, mais surtout trouver un style bien à moi, ce qui me faisait cruellement défaut. J'imitais qui je voulais, mais je n'arrivais pas à savoir à quoi ma propre voix pouvait ressembler. Au début de l'année scolaire, ma mère m'avait trouvé un nouveau prof qui était supposément extraordinaire, parfait pour ce que je voulais accomplir, et j'avais commencé à suivre des cours avec lui le mercredi soir. Le fait qu'il enseignait à des personnalités connues m'impressionnait autant que ça me motivait, alors j'étais très excitée au début. Mais au fil des semaines, il était devenu clair que, chaque fois qu'il me disait: « Chante cette phrase à ta façon, comme personne d'autre ne le ferait! » je bloquais. J'en étais simplement incapable. Je finissais toujours par ressembler à l'une ou l'autre de mes chanteuses préférées du moment.

Je n'avais pas encore croisé de chanteurs professionnels ni de vedettes chez ce professeur, mais il y avait bien une fille que j'avais entendue chanter un soir et qui me rendait verte de jalousie. Apparemment, il n'y avait pas que les filles qui tournaient autour de Renaud qui me rendaient jalouse! Cette Sarah-Jeanne aussi, dont le cours précédait le mien, m'enrageait. Elle avait le même âge que moi. Les quelques minutes où je l'avais entendue dans le boudoir chez monsieur Parenteau en attendant que son cours finisse avaient suffi pour que je puisse constater à quel point sa voix était fascinante et son timbre, incroyable, intense, vibrant. Mais surtout, sa façon de chanter ne ressemblait à personne d'autre. Grrrr. Pourquoi y arrivait-elle et pas moi?

Depuis que je l'avais entendue, je m'arrangeais pour la croiser pratiquement chaque semaine, espérant trouver chez elle une faille, une faiblesse qu'il me ferait plaisir de constater pour me la rendre moins parfaite, mais elle ne se rendait même pas compte de ma présence tant elle était dans sa bulle. Elle semblait flotter en sortant du studio. Un simple « bonsoir, monsieur Parenteau ! » lancé négligemment, et elle volait en bas du grand escalier, comme si la terre lui appartenait. Elle me mettait hors de moi, Sarah-Jeanne-quelque-chose, et autant j'aurais voulu lui piquer son talent, autant je pressentais que je devrais retenir ce nom. J'avais l'impression que cette fille pourrait aller loin. Re-grrr. En plus de tout ce qui allait de travers dans ma vie, il fallait que je sois confrontée à cette fille qui semblait tout avoir. Elle avait l'air insouciante, heureuse, probablement amoureuse et tout ça, en plus de sa façon incroyable de chanter, me remettait mes récents échecs sous le nez. Je lui en voulais d'exister et me surpris à me demander comment je pourrais lui empoisonner l'existence. Je ne chanterais peut-être jamais aussi bien qu'elle, mais la voir moins pimpante me ferait certainement le plus grand bien !

J'endurais de plus en plus mal de ne pas être avec Renaud. Chaque fois que je le voyais, j'en avais des palpitations et je ne savais plus quoi faire pour qu'il réagisse enfin.

Je ne sais pas si ce sont toutes ces frustrations qui

me faisaient perdre de l'intérêt pour les choses que j'appréciais autrefois, mais torturer Cassandra m'amusait de moins en moins. Pas complètement, c'est sûr, mais disons que j'en retirais moins de satisfaction et que je laissais de plus en plus Camille manigancer les coups à ma place. Elle se débrouillait très bien, en effet. Son dernier plan était assez génial, dans le genre machiavélique. Toute seule, je ne l'aurais jamais mis à exécution, mais quand nous en parlions ensemble, Camille, Aurélie et moi, je trouvais ça brillant et, surtout, ça m'enlèverait du travail à l'école, ce qui me plaît toujours.

Le raisonnement de Camille était le suivant: puisque à cause de Cassandra nous avions amassé moins d'argent que nous l'escomptions pour le projet d'Haïti, il était normal qu'elle compense un peu. Et puis, il fallait bien que sa facilité en sciences serve à quelque chose. Ainsi, quand nous avons eu les détails du projet scientifique que nous avions à remettre à peine trois semaines plus tard, nous avons décidé de « recruter » Cassandra dans notre équipe pour nous aider. Comme ça, nous aurions plus de temps pour les choses vraiment importantes comme avoir une vie et, surtout, notre note serait bien meilleure, ce que nous méritions amplement.

Quand Camille annonça la bonne nouvelle à Cassandra, elle a d'abord été étonnée, puis heureuse.

Elle croyait, encore une fois, que nous étions redevenues ses amies. Mais quand elle comprit que nous nous attendions à ce qu'elle fasse tout le travail, elle refusa. Mauvais *move*. Ce soir-là, comme nous restions plus tard pour terminer d'imprimer des dépliants pour la prochaine collecte de fonds pour le projet d'Haïti, nous en avons profité pour décorer un peu la porte de son casier. C'était l'idée de Camille, ça aussi, car moi, j'avais trop peur qu'on se fasse prendre. Mais Camille me convainquit qu'il était très rapide de laisser un tout petit message, un minuscule mot de quatre lettres qui ferait comprendre à Cassandra à quel point elle avait intérêt à faire ce qu'on attendait d'elle :

— T'es vraiment trop peureuse, Caro. Tiens, prends le marqueur, et écris, c'est pas dur : P, U, T, E. Tiens, t'as fini et on est déjà loin. Personne se douterait que c'est toi qui as pu faire ça, *anyway*, t'es trop parfaite !

Trop parfaite, ouais. Je ne me sentais pas parfaite du tout, loin de là. Même que la petite voix que j'avais réussi à écarter plusieurs semaines auparavant venait de refaire une apparition en me disant que je venais peut-être d'aller trop loin. Je chassai ces pensées désagréables d'un battement de cils et partis avec Camille. Elle avait tout plein d'autres choses en tête.

Je n'avais jamais su qu'elle connaissait la combinaison du cadenas de Cassandra; le lendemain soir, elle ouvrit donc son casier sans peine pour voir s'il n'y aurait pas quelque chose d'intéressant à «emprunter» ou à utiliser contre elle. Il s'y trouvait son agenda ainsi que quelques cahiers de notes. Des notes très importantes pour les examens de fin d'année. Lorsque Camille ouvrit un des cahiers avec son sourire spécial, une feuille tomba par terre. Je la ramassai pendant que mon amie continuait à examiner les cahiers. Je vis quelques lignes, mais ne lus que la première: «J'ai tellement mal... pourquoi ils peuvent pas me laisser tranquille?» Camille me demanda ce que c'était, mais, sans trop savoir pourquoi, je ne voulus pas lui montrer le papier. Je le chiffonnai plutôt et le fourrai dans mon sac.

— Ah, c'est rien, juste d'autres notes, rien d'important.

Camille prit plusieurs cahiers de notes et d'autres objets personnels et les mit dans son sac. Si Cassandra voulait les récupérer, elle n'avait qu'à le demander et à nous donner quelque chose, comme un travail de sciences impeccable, en échange. Nous sommes parties en fredonnant toutes les deux. Ce n'est que chez moi, en fouillant dans mon sac, que je revis le papier et décidai de lire le reste:

«J'ai tellement mal... pourquoi ils peuvent pas me

laisser tranquille? Je sens encore ses mains sur moi, ces mains que j'haïs tant. Pourquoi je l'ai laissé faire? Pourquoi je me suis pas écoutée? Et là, tout le monde est contre moi. Je me suis jamais sentie aussi seule, même au pire des chicanes avec ma mère. J'en peux plus… Combien de temps je vais encore pouvoir endurer ça?»

Là, j'ai vraiment commencé à ressentir un malaise. Cassandra avouait et oui, je lui en voulais. Oui, elle m'avait trahie, elle nous avait toutes trahies. Mais ce que je lisais là pouvait bien vouloir dire d'autre chose et, surtout, il était évident qu'elle souffrait terriblement.

Dans le miroir, ce soir-là, j'eus du mal à soutenir mon regard. La fille qui était là, je n'étais plus certaine de l'aimer, tout à coup. Miss Parfaite, ça? J'avais du mal à croire que c'était bien moi. J'avais probablement toujours été aussi mesquine, mais je ne savais pas trop pourquoi cela me dérangeait autant, tout à coup. Probablement parce que, pour la première fois, je réalisais que j'avais causé un tort vraiment grave à quelqu'un qui ne le méritait peut-être pas. *Peut-être.* C'était une nuance importante. Je n'en étais pas convaincue, et c'est ce petit doute qui déformait l'image qui dansait devant mes yeux. Est-ce que je voulais vraiment causer ce genre de douleur à quelqu'un? Au nom de quoi, au juste, de mon orgueil? J'étais d'accord pour que Cassandra subisse les conséquences de ce qu'elle avait fait, mais encore fallait-il qu'elle ait réellement fait quelque chose de mal. Et ce qui me semblait aussi évident, en lisant cette pensée des plus intimes, était qu'elle regrettait. Je ne savais pas quoi, au juste, mais elle regrettait quelque chose et j'ai commencé à me demander si nous ne devrions pas la laisser un peu tranquille. Il me semblait qu'elle avait assez payé, non?

Je me promis d'en parler à Camille dès le lendemain, mais d'autres distractions chassèrent cette brillante idée de ma tête.

Et là, tout en haut du miroir, je crois bien que c'est une fissure qui commençait à se former. Je me demandais ce que je trouverais si le miroir se fracassait, s'il se cachait quelqu'un d'autre derrière, une personne que je n'avais encore jamais rencontrée mais que je gagnerais peut-être à mieux connaître.

Chapitre 8

Un peu trop loin

En arrivant à l'école un bon matin où le printemps commençait à vraiment se faire sentir, je trouvai à Camille un petit air bien mystérieux. Je lui demandai ce qui se passait, mais nous n'avions pas beaucoup de temps avant la cloche et, de toute évidence, elle avait envie de me faire languir. Elle me dit simplement:

— J'te raconterai plus tard... disons juste qu'il faut pas que tu comptes sur moi un certain 14 juin! Ciao!

Elle partit presque en dansant. Il ne me fallut que quelques instants pour comprendre: le 14 juin était LE grand soir, du moins pour la plupart des secondaire cinq et les quelques chanceuses qui seraient invitées à accompagner leur chum au bal de finissants. Dire que je n'y pensais pas depuis des mois aurait été mentir; j'y pensais chaque jour et je me demandais si Renaud se déciderait à m'inviter ou non. Plus le temps passait et plus j'avais de mal à attendre. J'avais cependant l'intention de l'inviter, s'il n'aboutissait pas, à venir avec nous au Festival des arts qui se tenait au début d'avril dans la ville voisine de la nôtre. Il y aurait un spectacle de Hors La Loi, un groupe de musique qu'il appréciait particulièrement, et nous avions obtenu la permission d'installer un kiosque pour amasser des fonds pour notre projet communautaire. Je gardais cette invitation dans ma manche, attendant de savoir s'il ferait les premiers pas bientôt ou non.

Je n'avais toujours pas oublié ce qui s'était passé, mais je lui avais maintenant tout à fait pardonné cette mésaventure, surtout que j'étais désormais convaincue que mes crises de jalousie d'autrefois n'étaient pas fondées. Il ne me restait plus qu'à faire comprendre tout ça à Renaud et j'espérais ardemment en avoir l'occasion. Au bal, ou avant, préférablement. Décidément, il était plus que temps que notre vie ensemble reprenne son cours.

Camille, elle, avait réglé cet aspect de sa vie. Elle m'avait répété tellement souvent qu'il FALLAIT qu'elle aille au bal, qu'il était IMPENSABLE qu'elle n'y soit pas, que je compris enfin qu'elle gardait Alex en attente à coup de confidences et de beaux sourires juste pour être certaine d'y être invitée, même s'il n'était pas son premier choix. Je la savais parfaitement capable d'être aussi manipulatrice même si ce trait de personnalité me dérangeait de plus en plus souvent. Certaines choses étaient ridiculement importantes pour elle, comme ce bal cette année. Je me doutais bien que la raison principale pour laquelle elle y tenait tant était simplement que plusieurs filles de secondaire quatre y allaient avec leur chum, et pas nécessairement des filles dont Camille raffolait. «Pas question que ces greluches-là y aillent et pas moi!» À chacune ses raisons... Évidemment, je mourais d'envie d'y aller, moi aussi, ne serait-ce que pour savoir à quoi m'attendre l'an prochain! Mais si Renaud ne m'invitait pas, je n'irais pas et ce n'était pas plus grave que ça.

Un peu plus tard cette journée-là, Camille me raconta enfin toute l'histoire, qui différait légèrement de ce que j'avais pensé.

— Alex m'avait déjà demandé d'y aller, mais je lui avais dit que je savais pas si je pourrais. Mais hier soir, sur Facebook, Rémi m'a invitée! C'est pas cool, ça?!

— Oui, mais qu'est-ce que tu vas dire à Alex?

— Rien pantoute. J'ai rien à lui dire, je lui dois rien, ça fait longtemps que je sors plus avec! C'était à lui de pas s'attendre à ce que je dise oui...

— Avoue que t'étais pas tellement claire! T'arrêtais pas de lui dire des affaires qui ont pu lui faire penser que...

— Bin là, ça s'appelle juste un plan B, Caro, *come on!* J'allais pas risquer de pas y aller, à c'te bal-là!

C'est sûr que ça aurait été moins l'fun avec lui, mais au pire je serais allée quand même…

— J'trouve que c'est pas tellement correct de ta part, Cam…

— Comment ça, pas correct? C'est un gars, Caro, ils s'en font pas avec ces affaires-là, les gars, tu l'sais!

— Hmm, je suis pas sûre. En tout cas, j'aimerais pas tellement ça que quelqu'un me fasse ça à moi. J'fais juste te dire ça, là. Prends-le pas mal…

— Je le prends pas mal. En tout cas, lui, il va se trouver quelqu'un d'autre pour y aller. Pis toi, j'espère que t'attendras pas jusqu'à la veille du bal que Renaud se déniaise. Tu devrais peut-être en avoir un plan B, toi aussi, parce qu'il faut juste trop que tu sois là! Coudonc, vas-tu falloir que je m'en mêle?

Elle me fit un petit clin d'œil mystérieux et je répondis:

— Non, surtout pas! Laisse faire, je vais m'arranger…

La cloche sonna et nous sommes parties chacune de notre côté, elle tout excitée, moi un peu mélangée et très, très songeuse.

* * *

Seulement quelques jours étaient passés depuis que Rémi avait invité Camille à son bal et elle me tapait déjà sur les nerfs tant elle en parlait. Je comprenais bien son excitation et j'étais super contente pour elle; j'étais sans doute un peu envieuse, mais je trouvais qu'elle était obsédée avec tous les détails de la soirée, de la robe à ses ongles en passant par le moyen de transport et tout le reste. J'avais beau savoir que je serais au moins aussi excitée qu'elle à sa place, je ne pouvais tout de même pas m'empêcher de l'agacer, question de la ramener un peu sur terre:

— C'est pas son bal à lui, Camille? Me semble que ce serait à lui de penser à toutes les gugusses de transport, non? Eh, ça va être beau l'année prochaine quand ça va être ton bal à toi!

— *My God,* t'as pas idée! Mais là, on va avoir l'année au complet pour se préparer, pas juste quelques semaines! J'ai même pas d'argent pour ma robe et ma mère me gosse: elle veut pas dépenser plus que cent dollars! Où c'est que je vais pouvoir trouver une robe qui a de l'allure à ce prix-là? T'aurais dû voir celle que j'ai vue en fin de semaine. Elle était parfaite, mais trois fois plus chère que ça... C'est elle que je veux, mais ma mère dit qu'elle va me l'acheter l'année prochaine, que si je la veux cette année, j'ai juste à travailler plus d'heures. Comme si j'avais le temps!

— C'est chien, mais faut quand même pas que tu vires folle. Tu veux pas être plus *hot* que les filles de secondaire cinq, elles vont t'haïr!

— Bin qu'elles m'haïssent! J'irai pas là avec ma robe de Noël, quand même! Pis t'imagines-tu que les autres mettront pas le paquet, eux autres?

— On s'en fout, des autres...

— Toi, peut-être, mais moi non. Faudrait que tu la voies, la robe, tu serais d'accord!

— Ouain, mais tu sais que c'est stratégique. C'est le bal à Rémi, faut pas que tu voles la vedette à personne...

— Oui, je sais, mais je veux qu'il trouve que je suis la plus belle. J'ai bien l'intention qu'on sorte ensemble rendus là! Ça va sûrement se faire avant, mais au pire ce soir-là!

— T'en fais pas, Camillou, y a pas de problème de ce côté-là, sinon il t'aurait pas invitée...

— T'es fine... mais je pense qu'il me vient une idée pour ma robe. Mon père me donne toujours de l'argent à la fin de l'année quand j'ai un bon bulletin. C'est sûr que je vais avoir un bon bulletin. J'en ai aussi à ma fête, c'est dans trois semaines. Je pourrais toujours demander à mon père qu'il me l'avance, mais...

Elle ne dit plus rien et je vis qu'elle réfléchissait. Un grand sourire se dessina sur son visage, mais ce n'était pas le sourire que je préférais chez elle. C'était plutôt celui qu'elle affichait quand elle se préparait à faire quelque chose de croche. Je le connaissais assez bien, ce sourire, mais cette fois il m'inquiéta. Je commençais à me méfier des manigances de Camille depuis quelque temps. Elle me dit simplement qu'elle avait un plan. Encore un plan...

* * *

J'avais fini par inviter Renaud au Festival des arts, mais il ne pouvait pas venir ce soir-là. Il s'était dit très déçu, mais je n'arrivais pas à savoir si c'était de ne pas être avec moi ou de manquer Hors La Loi. En arrivant là-bas, seule avec Camille, j'eus une très désagréable surprise. Deux affiches ornaient l'entrée de l'aréna, une très grande qui représentait le groupe vedette, et une autre, plus petite, pour Existence, le groupe qui jouerait en première partie. Il me fallut un moment avant de reconnaître la chanteuse qui figurait, bien entourée des membres de son groupe, sur cette dernière affiche. Puis, le déclic se fit. C'était Sarah-Jeanne-quelque-chose, la fille qui prenait ses cours de chant juste avant moi les mercredis soir. Grrr. Camille s'approcha et me demanda ce qui n'allait pas. Je n'eus qu'à dire son nom pour qu'elle comprenne. Je lui avais assez souvent parlé d'elle! Et là, devant moi, se trouvait une autre preuve de sa réussite, une réussite qui semblait pour moi totalement inaccessible et ma jalousie envers Sarah-Jeanne monta encore d'un cran. Mon amie me dit:

— Eh bien, on a toute la journée pour penser à comment on pourrait bien «contribuer» à leur show…

Nous l'avons cependant passée, cette journée, à parler à toutes sortes de personnes, à les inciter à donner de l'argent pour notre cause, à répéter ce qui me sembla des millions de fois notre baratin habituel. Les gens étaient généreux et, en fin d'après-midi, nous avions ramassé plus d'argent pour notre projet humanitaire que nous l'avions espéré.

Les musiciens des deux groupes étaient arrivés et ils ont fait leurs tests de son. Ils avaient l'air de tous se connaître, et ça me fit détester la chanteuse encore plus. Ça aurait dû être moi! Camille avait déjà évoqué plusieurs scénarios possibles pour gâcher un peu le spectacle: nous pouvions tenter de saboter le micro de la chanteuse, nous tenir près de l'escalier menant à la scène et la faire trébucher au moment où elle monterait; c'était risqué, mais ça aurait pu être drôle. Cependant, à ma grande surprise et surtout, bien malgré moi lorsque j'ai entendu la pièce qu'ils ont jouée pendant le test de son, j'ai été obligée de m'avouer vaincue. Cette fille avait tout simplement plus de talent que moi et saboter sa soirée ne m'en donnerait pas davantage. Je me demandais, tout à coup, s'il était possible d'admirer quelqu'un librement sans avoir l'air *looser* plutôt que d'en être jalouse. C'était pour moi un bien grand mystère.

L'heure du spectacle arriva enfin. Les membres du groupe sont passés tout près de nous avant de monter sur scène et nous n'avons rien fait. Le regard de Sarah-Jeanne a croisé le mien l'espace d'une fraction de seconde et mon cœur s'est arrêté de battre. Elle ne m'avait probablement pas reconnue, mais pour une raison que je ne comprenais toujours pas, tellement c'était nouveau pour moi, cette fille m'intimidait. Son talent, sans doute. Camille était déçue que je ne veuille rien faire, même un tout petit quelque chose de subtil comme renverser ma liqueur sur elle « par accident »; elle m'accusait d'avoir peur de me faire prendre, mais c'était tant pis. Je n'avais plus envie de détester cette chanteuse, au contraire. Mais que m'arrivait-il donc ?

Nous avons regardé le spectacle et honnêtement, même si je ne l'aurais encore avoué à personne, j'appréciai davantage la première partie que le spectacle principal. Ce groupe et leurs chansons avaient quelque chose de spécial, et j'avais l'impression d'assister à un événement qui s'avérerait marquant. Les paroles me touchaient, les mélodies m'interpellaient, j'étais bouleversée. J'aurais aimé réécouter chacune de ces chansons plusieurs fois pour m'en imprégner, pour les différencier les unes des autres, avec leurs subtilités, leur message, leur effet particulier. Leur musique avait eu un effet étrange sur moi, comme si quelque chose venait d'être secoué, quelque chose dont je ne soupçonnais même pas *l'existence*, justement.

* * *

Je compris la nature du fameux dernier « plan » de Camille dès le lundi suivant le Festival des arts et je pense que c'est là que j'ai commencé à voir clairement, ou plutôt différemment, le véritable visage de mon amie. Je n'aimais pas ce que je voyais. Vraiment pas.

Nous avions fait plusieurs activités de levée de fonds au cours des fins de semaine précédentes, la principale étant le Festival des arts, et il nous fallait, un soir de cette semaine-là, aider le prof responsable, monsieur Boivin, à préparer le dépôt à la banque. Il était en train de compter les piles d'argent quand il déposa son crayon et nous dit :

— Les filles, c'est bizarre. On dirait qu'il manque de l'argent. Vous êtes bien certaines que vous avez tout apporté ?

J'étais, pour ma part, absolument certaine d'avoir pris toutes les enveloppes après les avoir bien rangées et comptées, mais je me sentis mal, tout à coup. Camille répondit presque trop vite :

— Oui, c'est sûr ! C'est ma mère qui gardait ça à son bureau en attendant. Elle a compté les enveloppes devant moi, puis je les ai apportées au local tantôt. Y avait toujours quelqu'un !

Le professeur me regarda à mon tour et je répondis à peu près la même chose.

— Et avant de les apporter au local, vous les avez traînées avec vous ?

— Il fallait bien, mais juste une journée...

Je vis les yeux de Camille s'écarquiller. Son expression de fausse surprise était parfaite. Elle était forte, très forte. Elle poursuivit :

— On avait mis nos affaires au fond de la classe pendant qu'on préparait nos présentations orales en français. On sortait de la classe en équipes... Oh zut ! J'ai pas gardé mon sac avec moi ! Pensez-vous que c'est possible que quelqu'un ait fouillé dedans ?

— Attends, Camille, y a sûrement une autre explication.

Elle se leva soudainement, renversant presque sa chaise.

— J'me souviens ! Cassandra était là, elle était assise juste à côté des sacs, vu qu'elle est tellement rejet qu'elle est en équipe avec personne. Et elle me déteste, elle ne comprend pas qu'on soit fâchées parce qu'elle nous a laissé tomber pour le projet ! C'est sûrement elle !

— Camille, si c'est elle qui a décidé de lâcher, elle n'a pas à vous détester, il me semble?

— Je l'sais, Monsieur Boivin. Je comprends pas plus que vous! Tout ce que je sais, c'est qu'elle est bizarre depuis quelque temps.

— Oui, je sais, j'ai entendu dire que vous aviez eu des chicanes, mais penses-tu vraiment qu'elle irait jusque-là?

— Personnellement, ça m'étonnerait pas. Elle a changé. Je pensais pas qu'elle irait jusqu'à voler, et voler de l'argent qui allait servir à aider du monde qui en avait vraiment besoin, en plus! J'en reviens pas!

Je ne disais pas un mot. L'horrible réalité me sautait au visage et il ne me servait plus à rien d'essayer de m'en cacher: Camille avait volé l'argent pour s'acheter sa foutue robe et elle essayait de faire passer ça sur le dos de Cassandra. Elle poussait même jusqu'à jouer l'offensée devant quelqu'un qui oserait voler de l'argent destiné aux plus démunis de la terre. Je ne savais pas quoi dire ni quoi faire. Je n'avais pas d'autre choix que de me taire, sinon, c'est elle qui aurait des ennuis et elle m'en voudrait à mourir. Il y avait une chose dont j'étais maintenant absolument certaine même si je m'en étais doutée auparavant: je ne voudrais au grand jamais avoir Camille contre moi! J'avais toujours approuvé et même encouragé sa façon parfois tordue de régler certains problèmes. De plus, j'y avais souvent participé. Sauf que là, elle allait trop loin. Cette dernière offensive était vraiment, mais alors vraiment injuste et carrément méchante de sa part. Monsieur Boivin finit par dire:

— Je vais voir ce qu'on peut faire pour vérifier ça. On n'a pas de preuve. Je trouve ça pas mal délicat d'accuser quelqu'un comme ça. Mais je vais en parler aux autres profs pour voir quelle est la meilleure façon de procéder.

Je fulminais; j'étais déçue, j'avais l'impression que Camille venait de me trahir à mon tour. Je ne sais pas pourquoi je le prenais aussi durement, sans doute parce que dès le début de toute l'histoire je n'étais pas tout à fait certaine de la culpabilité de Cassandra. Cette fois-ci, cependant, je savais qu'elle était innocente. Nous avons fini de tout ranger en silence. Camille essayait d'attirer mon regard. Elle me faisait toutes sortes d'airs, à la fois de triomphe et de complicité, et je la détestai soudainement. Je n'allais peut-être pas la dénoncer, mais je refusais de participer à ça: j'avais atteint ma limite. Ce qui me dérangeait le plus était qu'elle avait l'air très fière d'elle, qu'elle semblait extrêmement contente d'avoir pu s'en tirer aussi facilement. Je sortis du local avant elle et elle m'appela:

— Hey, Caro, attends-moi!

Je ne répondis pas et continuai à marcher.

— Bon, dis-moi pas que t'es fâchée après moi? C'est quoi le problème? J'vas le remettre, l'argent, c'est juste un prêt.

Un prêt? Ah bon. Ça réglait tout, alors. Pour qui se prenait-elle? J'étais tellement en colère que je refusai de répondre, ne sachant pas si j'allais exploser et si oui, à quel moment ou de quelle façon.

— *Come on,* Caro! Ça dérange quoi? Qui te dit qu'elle en a pas volé, de l'argent, quand elle était avec nous autres? Sur tout ce qu'elle a ramassé, je serais pas surprise qu'elle s'en soit mis dans les poches, c'est son genre!

C'était trop fort et je ne pus m'empêcher de lui dire ce que je pensais réellement, pour une fois.

— Je l'sais pas, Camille, mais j'pense pas. J'pense pas que tout le monde soit des voleurs. C'est pas parce que ça fait ton affaire de penser qu'elle aurait pu faire ça qu'elle l'a fait pour vrai. C'est comme pour l'histoire avec Renaud, aussi. Est-ce que t'as pris le temps d'écouter ce qu'elle avait à dire avant de décider que ce que t'entendais, c'était vrai? Qui te dit que ça s'est vraiment passé comme tout le monde raconte?

— Bon, Miss Parfaite, encore! Arrête donc d'être aussi *straight!* C'est pas grave, j'te dis que je vais le remettre, l'argent. On dira que c'était une erreur, c'est tout. Pour le reste, moi, je fais confiance à mes amis. Je les crois quand ils me disent quelque chose. Bon, c'est quoi, là ? Tu penses qu'elle a pas couché avec, que c'est pas arrivé ?

— Je l'sais pas, Camille ! Peut-être que oui, mais peut-être que c'était pas prévu, pis peut-être qu'elle l'a regretté, mais on y a pas laissé la chance de s'expliquer.

— Tu lui as pas laissée plus que moi !

— Bin non, moi aussi, je crois mes amis. En tout cas, je les croyais. Là, je sais pus. Tu aurais pu me le dire, que t'allais emprunter de l'argent des enveloppes du projet au moins ! Si tu te mets à me cacher des affaires, comment je peux te faire confiance ?

— Voyons ! Si je te l'avais dit, tu m'aurais empêchée de le faire. T'es trop honnête, ça se serait vu dans ta face et monsieur Boivin l'aurait su tout de suite.

Là, je devais lui donner raison. Mais ça n'effaçait pas ce qu'elle avait fait et c'était vraiment gros. Ma colère était plus vive que jamais.

— Te rends-tu compte que Cassandra peut se faire accuser de vol ? Me semble qu'elle rushe assez de même. J'trouve qu'on en a assez fait. Un vol, c'est criminel, quand même !

— Ah, t'exagères. On parle pas de mille piastres, là...

— C'est pas grave ! C'est un vol pareil, et y a une différence entre accuser quelqu'un parce qu'on *pense* qu'elle a fait quelque chose de pas correct et l'accuser quand on *sait* qu'elle l'a pas fait. Une méchante différence.

— Bon. Tu vas me *stooler*, je suppose ?

— Bin non, dis pas des niaiseries. Mais là, j'suis trop fâchée, je m'en vais chez nous.

— Tu m'appelleras quand tu seras calmée.

Je ne répondis pas et tournai les talons. Je ne lui téléphonai pas ce soir-là et l'évitai le lendemain. Le surlendemain, j'appris qu'elle avait « retrouvé » l'enveloppe manquante. J'étais soulagée, mais je sus que les choses ne seraient plus jamais tout à fait les mêmes entre nous. Et à mon cours de chant, ce soir-là, je n'arrivais pas à ressentir la plus petite parcelle de méchanceté envers Sarah-Jeanne. Je suis même certaine de ne pas avoir rêvé quand, en sortant, je l'ai vue me sourire. C'était agréable, ça.

Chapitre 9

Enfin !

Nous n'avons pas vraiment reparlé de l'incident de l'argent volé, et j'ai préféré me remettre la tête dans le sable comme d'habitude. Puisque Camille était mon amie, je finis par me dire que ça, comme le reste, n'avait pas été si grave. Le printemps était bien arrivé, il faisait beau et on sentait les vacances — et le bal — dans l'air. Tout de même, l'incident m'avait fait réfléchir et j'avais, à quelques reprises, eu envie de parler à Cassandra. Je ne savais pas trop ce que je lui aurais dit, peut-être que j'avais simplement envie de lui permettre de me donner sa version de tout ce qui s'était passé, ce que personne n'avait songé à faire. Je me sentais vraiment mal devant les derniers événements et, même si elle se faisait le plus discrète possible, je voyais bien que ça n'allait pas fort et j'avais de plus en plus souvent l'impression d'être responsable de son malheur. Je pense que ma conscience commençait enfin à se réveiller même si je n'y étais pas tout à fait prête.

À plusieurs reprises, j'étais même descendue au sous-sol de l'école parce que je savais que c'est là que

Cassandra passait ses heures de dîner, toute seule. Mais à la dernière minute, je changeais d'idée. Je lui aurais dit quoi, au juste ? En fait, j'avais honte même si je n'arrivais pas encore tout à fait à nommer cette sensation étrange et très désagréable. Je me disais qu'elle aurait eu toutes les raisons du monde de me recracher mes excuses au visage, si au moins j'avais trouvé le courage de lui en faire. Le temps passa et je ne fis rien, me disant qu'il était trop tard, que ça ne changerait rien.

Camille commença enfin à sortir avec le beau Rémi, bien avant le bal, mais sans vraiment de surprise. Et moi, tout ce que je voulais et que je n'avais toujours pas, c'était Renaud.

Comme elle l'avait toujours fait, Camille me racontait tout, dans les moindres détails. Elle était amoureuse jusqu'aux oreilles et je l'enviais. Tout ce qu'elle me disait me faisait penser à Renaud et j'avais mal, mais j'étais de plus en plus déterminée à m'organiser pour qu'il se passe enfin quelque chose de positif entre nous. Ce qu'elle me relatait de ses conversations avec Rémi ravivait mes espoirs :

— T'sais, Rémi a dit à Renaud qu'il était con de pas reprendre avec toi… Les autres gars aussi, d'ailleurs. En fait, ils commencent à le trouver bizarre parce qu'il sort avec personne. Il y en a même qui le niaisent, qui lui demandent s'il est encore intéressé par les filles. Tu connais Renaud, il répond rien, mais je suis sûre qu'il se prépare à faire un *move*. Ça s'en vient, je le sens! Ça va être tellement cool, on va pouvoir faire plein d'affaires ensemble tous les quatre!

— Wô, tu vas un peu vite...

— Faut croire que j'aime ça, finalement, aller vite... J'pense que Rémi pis moi, ça sera pus long avant qu'on... bin t'sais?

— Ah ouain, vous êtes déjà rendus là? Me semblait que tu voulais attendre un bout, quand même!

— Oui, c'est ça que je pensais, mais là, j'avoue que... je l'aime tellement, pis j'ai l'goût de savoir c'est comment!

— Tu te sens vraiment prête?

— Je pense que oui... On peut-tu vraiment savoir? Ce que je sais, c'est que je l'aime, pis il m'aime pis quand on fait des affaires, j'aime vraiiiiiiiment ça...

Elle rougit. Je ne l'avais pas souvent vue rougir, mais là elle était écarlate. Je l'enviais plus que jamais. Chaque fois que je regardais Renaud, il me passait toutes sortes d'idées en tête et c'était gênant. J'avais envie qu'il me prenne dans ses bras, j'avais envie de me retrouver toute seule avec lui, de le caresser, qu'il me caresse aussi... Parfois, j'avais des chaleurs en pensant à ça et j'essayais de me distraire avec autre chose, mais comme je n'avais que lui en tête, c'était difficile. Et puis j'aurais juré que Camille le faisait exprès en me donnant le plus de détails possible sur sa vie amoureuse et, surtout, intime :

— Faut que je te dise. La première fois qu'il m'a fait jouir avec sa main, c'était…

— Oh ! Cam, trop d'infos !

Elle avait cependant toute mon attention… et mon regard démentait mes paroles. Elle continua donc sans se faire prier davantage, un petit sourire coquin aux lèvres :

— C'était incroyable, Caro, j'te jure. J'avais des frissons partout, j'étais toute mouillée, j'avais jamais rien senti de même !

— Qu'est-ce qu'il a fait au juste ? Y a quand même pas été jusqu'à…

— J'vas juste te dire… ça a fait un peu mal quand son doigt est entré, mais juste au début. Après il m'a frotté, pis il me caressait partout, je peux pas décrire, c'est trop *hot* !

Je la croyais facilement. Je détestais avoir l'image de ces deux-là en train de faire ce genre de choses, mais je devais admettre que ça me donnait envie, à moi aussi, de découvrir tout ça.

— Moi, j'ai trop peur que ça fasse mal. Un doigt c'est une chose, mais le reste…

— Oui, mais crois-moi, c'est pas long que ça fait pus mal. Ça glisse tellement que je suis sûre que ça va être correct !

Je lui dis de se taire; j'étais maintenant aussi rouge qu'elle. Et juste à ce moment-là, comme s'il avait choisi le meilleur instant pour faire son apparition, Renaud arriva près de nous. Camille me prit la main et dit:

— Ah, salut Renaud! Désolée, faut que j'y aille, j'ai une récup en math!

Récup en math, n'importe quoi. Je n'étais tout de même pas fâchée qu'elle s'en aille. J'avais comme un bon pressentiment. Il était rare que Renaud vienne vers moi, comme ça. C'était bon signe! Je lui souris et le laissai parler en premier.

— Caro, ça tombe bien, c'est toi que je voulais voir.

Il avait son sourire des bons jours, celui que j'aimais tant, où ses yeux pétillent. Il se dandinait sur un pied et sur l'autre, comme s'il était nerveux, mais je savais qu'il ne l'était pas vraiment. Ce n'était pas dans sa nature. Je le laissai continuer:

— Tu sais que notre bal s'en vient et j'me demandais si t'avais envie de venir avec moi...

Je le regardai, tentant de lire en lui. Je n'avais jamais été capable de faire ça, mais j'espérais un miracle, un signe qui me révélerait ses vraies intentions. Était-ce le *move* que j'attendais depuis si longtemps? Je crus déceler plus que de l'amitié dans son regard, ou en tout cas, c'était ce que je choisissais de voir. Je lui fis un large sourire auquel il répondit et lui dis:

— Tu te doutes bien que j'espérais ça depuis un bout de temps...

— Ouais, excuse-moi, tu sais que je suis pas vite pour ces affaires-là. Pis avec tout ce qui s'est passé, j'étais pas sûr que tu voulais encore savoir quelque chose de moi.

— Bin oui, nono. J'ai *toujours* voulu savoir de quoi de toi.

Il me prit la main et m'embrassa sur la joue. Longtemps. Assez longtemps pour que sa main vienne se perdre dans mes cheveux et que mon cœur fasse des pirouettes dignes du Cirque du Soleil. Ce n'était qu'un bec sur la joue, mais ça me fit l'effet d'une bombe. Qu'est-ce que ce serait quand nous passerions enfin aux choses sérieuses! Puis, en repensant à ce que j'avais en tête lorsqu'il était arrivé, je me sentis rougir encore plus. Il me serra dans ses bras et je me blottis tout contre lui. Enfin. Il était plus que temps!

* * *

Nous sommes donc redevenus un couple. Il me semblait que nous n'avions jamais tant parlé. J'avais l'impression que nous avions beaucoup changé tous les deux depuis notre rupture à l'automne précédent. Nous avions vieilli, nous étions plus matures. Je lui ai avoué que j'avais réalisé à quel point je m'étais rendue ridicule avant et lui ai expliqué que ce serait bien différent. Il m'a confié, de son côté, qu'il avait envie que ça marche entre nous, que j'étais la seule fille avec qui il était vraiment à l'aise, la seule qui comptait pour lui. Je l'aurais écouté me dire ce genre de choses pendant des siècles, c'est sûr. C'était le Renaud tendre, affectueux que j'adorais et je souhaitais de tout mon cœur que ce soit celui-là, et seulement celui-là, qui revienne dans ma vie et pour de bon cette fois. J'étais heureuse et je flottais sur une espèce de nuage tout rose.

C'est drôle combien ça peut changer une vie, d'être amoureuse ! Plus rien d'autre n'avait d'importance. Toutes les petites chicanes que nous avions eues me semblaient vraiment stupides et je réalisais que j'avais fait des montagnes avec des riens. J'avais la ferme intention d'avoir une belle relation avec lui, franche et pas compliquée. Après tout, j'avais eu raison de croire que nous étions faits l'un pour l'autre, non ?

Évidemment, Camille ne tenait plus en place. Nous étions maintenant aussi excitées l'une que l'autre par le bal et c'était fantastique. Nous avions convenu d'adopter le look « classe mais extrêmement sexy », sachant que les autres greluches ne pourraient jamais nous arriver à la cheville. La classe, ça ne leur collait pas tellement. Nous allions être les plus belles, mais dans le genre incroyablement sophistiquées, laissant toute la place aux autres pour les paillettes et les couleurs voyantes. J'appréciais Rémi de plus en plus au fur et à mesure que j'apprenais à le connaître et j'avais l'impression d'apprivoiser Renaud tout doucement. La confiance s'installait lentement et je sentais qu'avec du temps, surtout du temps passé ensemble juste tous les deux, ce qui était beaucoup trop rare à mon goût, tout redeviendrait comme avant.

J'avais du mal à tout raconter à Camille comme elle le faisait avec moi. J'avais bien des choses à lui révéler, mais sans trop savoir pourquoi, je me retenais. Elle, par contre, avait franchi la grande étape et ne s'était pas gênée pour me donner tous les détails. J'étais certaine qu'elle embellissait un peu les choses; même si je n'étais pas encore passée par là, je doutais que ça puisse être aussi fantastique qu'elle me l'avait décrit, surtout la première fois. Quand elle me questionnait, j'étais à la fois franche et vague avec elle.

— Vous l'avez fait? me demandait-elle régulièrement.

— Non, pas encore, mais ça presse pas. Il me met pas de pression, alors je sens qu'il attend que je sois prête…

— Mais tu m'as dit que tu l'étais, justement! C'est pas normal, ça, me semble qu'il devrait être un peu plus impatient, non?

— Y a toujours quelqu'un dans les parages ou sur le point d'arriver, c'est stressant! Je veux juste être certaine que, quand ça va arriver, on va pas être obligés de se rhabiller en vitesse parce que son père arrive!

— Ouain, j'te comprends...

J'étais en fait très déçue que ça ne se soit pas encore produit. J'avais bien dit à Renaud que je l'étais, prête. Mais au lieu de sauter sur l'occasion, il m'avait dit:

— T'es sûre? Me semble que c'est vite, un peu!

Je pensais qu'il voulait avoir l'air correct, le gars qui respecte sa blonde et tout et tout. Je lui avais alors dit, en blague:

— T'sais, t'es pas obligé de me respecter tant que ça!

À ma grande surprise, il avait répondu:

— J'pensais pas que t'étais si pressée... Je vais commencer à penser que t'es comme les autres filles qui t'énervent tellement!

Ça m'avait cloué le bec. Pourtant, il arrivait bien que les choses deviennent vraiment torrides, en tout cas, je trouvais. Nous nous embrassions pendant de longs moments et nos caresses devenaient de plus en plus intenses. J'osais le toucher de plus en plus audacieusement, tel que j'en avais souvent rêvé. Je voyais bien qu'il aimait ça, mais je sentais aussi qu'il ne s'abandonnait pas totalement à mes caresses, comme s'il avait peur de perdre le contrôle. Alors, un soir, j'ai décidé de prendre les choses en main, littéralement. Debout dans sa chambre, alors que nous nous embrassions passionnément, je me suis agenouillée devant lui, j'ai descendu ses jeans et j'ai pris son membre gonflé dans ma main, d'abord, puis dans ma bouche. Il a eu l'air très surpris, au début, mais il n'a pas protesté. Je ne savais pas trop comment procéder, mais j'ai laissé mon instinct me guider et je l'ai léché tout doucement avant de l'enfoncer plus profondément entre mes lèvres. J'entendais sa respiration s'accélérer et ça m'encourageait. Il caressait mes cheveux et avait le souffle de plus en plus court. Puis il me fit me relever, prit ma main et me montra comment il voulait que je le caresse, ce que je fis du mieux que je pouvais. Il avait les yeux fermés, la mâchoire crispée. Il semblait si lointain! Mais au bout d'un moment, je sentis un liquide tout chaud se déverser dans ma main et une sensation bizarre m'envahit: une espèce de triomphe, je pense. Il s'était enfin laissé aller.

À partir de cet épisode, il a eu l'air d'oser plus facilement; il me caressait de façon de plus en plus soutenue et voulait, de toute évidence, me procurer du plaisir. Il y arrivait tellement bien! Quand sa main se glissait entre mes cuisses et me caressait jusqu'à ce que je me sente ruisseler, j'avais les jambes toutes molles. Lorsqu'il léchait et suçait mes seins, je me sentais totalement… femme. C'est difficile à expliquer. C'est comme si mon corps avait naturellement besoin de ces touchers pour s'épanouir, pour se sentir totalement vivant.

Rapidement, je compris tout ce que Camille avait essayé de me décrire, à part LA vraie chose ultime, et je me sentais bien. Ce qui m'avait un peu étonnée au début ne me surprenait plus du tout: j'en voulais toujours un peu plus. Beaucoup plus, en fait. J'avais fermement l'intention de faire l'amour avec lui, et le plus tôt serait le mieux. Je n'arrêtais pas de me demander comment ce serait, lorsqu'il se glisserait enfin en moi, comment je me sentirais. Je me disais que s'il me caressait avant comme il le faisait parfois, je n'aurais pas mal, ça se ferait tout seul… et je n'en pouvais plus d'attendre. Cependant, avec l'école et mes cours de chant en plus de son football dont les pratiques venaient de recommencer, les occasions se faisaient rares. Je prenais mon mal en patience, me disant que ce n'en serait que meilleur.

* * *

La fameuse occasion se présenta enfin. Nous étions chez lui. Comme ses parents étaient sortis et que son grand frère travaillait, c'était parfait. Nous sommes allés nous installer dans le spa. C'était une soirée de printemps magique, une des premières presque chaudes de l'année. La température de l'eau était parfaite, il faisait noir et tout était pour le mieux. En m'approchant de lui, j'avais l'intention d'amorcer une soirée inoubliable ici même, avec les tourbillons qui nous chatouillaient partout. Après quelques instants, je retirai mon maillot de bain et me collai tout contre lui. Surpris, il m'a souri. Nous nous sommes embrassés et c'était vraiment merveilleux. Sa peau mouillée était délicieuse et je me sentais tellement bien! Je me suis assise à califourchon sur lui et je sentais son érection à travers son mince maillot. Je lui chuchotai:

— Tu peux l'enlever, tu sais...

— Quoi, ici? Y a des voisins, voyons!

— On peut être discrets...

Je l'embrassai passionnément en tentant de défaire le lacet qui serrait son maillot, mais il me retint. Il m'embrassa à son tour et caressa mes seins. C'était bizarre et vraiment agréable, la sensation de flotter, d'être légère comme une plume sur lui. Mais c'était aussi un peu compliqué et je voyais bien qu'il n'était pas à l'aise.

— Qu'est-ce qu'il y a Renaud ?

— Y a qu'on est quand même pas pour faire l'amour ici, dans l'eau ?

— Moi, ça me dérange pas…

— J'ai même pas de condom. Tu me prends par surprise, là !

— Renaud, ça fait un an que je prends la pilule !

— Peut-être, mais je connais un gars qui a mis sa blonde enceinte, et elle prenait la pilule, elle aussi !

— Bon, si t'insistes. T'en as dans ta chambre ?

— Euh, oui…

Je l'entraînai hors de l'eau, m'enroulant dans une serviette. Quand nous sommes arrivés dans sa chambre, je la laissai tomber et me collai tout contre lui. Il s'approcha de sa commode et en sortit ce qu'il fallait. Je n'arrivais presque pas à le croire : ça allait enfin arriver, pour vrai ! Mon cœur se mit à battre comme un fou et j'eus un tout petit, minuscule doute. Était-ce bien ce que je voulais ? Je sus que oui quand il retira enfin son maillot et m'entraîna vers son lit. Tout irait bien.

Je m'étendis, ma peau mouillée me faisant frissonner. Son corps chaud contre le mien me procura une tout autre sorte de frisson et je me laissai aller à savourer chaque instant. Tel que je l'espérais, Renaud prenait son temps. Il avait même l'air de se concentrer pour ne pas se dépêcher. Il me caressa les seins, les embrassa doucement, et sa main descendit tout en bas, entre mes cuisses tremblantes. Il me caressa là, tout délicatement d'abord, puis avec plus d'insistance et je ressentis une fois de plus exactement ce que Camille avait décrit : j'étais tout humide, gonflée. Je sursautai en sentant un de ses doigts glisser à l'intérieur de mon corps. Ça ne faisait pas vraiment mal, mais je dus avouer qu'au début, ce n'était pas aussi agréable que je l'aurais cru sauf que... plus il bougeait, mieux c'était. Cette sensation d'humidité s'accentua et j'eus peur de saigner. Je n'avais pas pensé à ça ! Je me demandais si lui s'y attendait... Je ne pouvais plus reculer, et je n'en avais pas envie, non plus. Il continua ses caresses, s'interrompit un moment pour mettre le condom en place et se glissa sur moi. Je sentais son pénis dur se presser contre mon ventre et sa respiration aussi rapide que la mienne. J'avais envie de l'embrasser, mais il avait encore les yeux fermés et cet air de concentration intense. Je sentis une énorme pression à l'entrée de mon corps et j'eus peur. Peur de la douleur, peur de faire une gaffe, peur qu'il me blesse... puis il était en moi et la sensation était indescriptible. J'avais l'impression que mon corps allait se déchirer, j'avais mal et malgré moi, je me crispai. Il se retira aussitôt et s'excusa.

— Non, c'est pas grave, continue! lui dis-je, le souffle court.

— Je peux pas, ça te fait mal!

— C'est correct, ça va aller, c'est juste la première fois...

Mais il était déjà debout et ramassait son maillot en se dirigeant vers la salle de bains. Immédiatement, les larmes me montèrent aux yeux. J'étais terriblement déçue et un tas de questions se bousculaient dans ma tête: qu'est-ce que j'avais fait de mal? Avais-je été si maladroite? Pourquoi s'était-il arrêté? J'avais tout gâché. Ce serait donc ça, mon souvenir de la première fois? Je tentai du mieux que je pouvais de cacher ma déception à Renaud et retournai chez moi, ravalant mes larmes.

Chapitre 10

M. Parfait au bal...

Le soir du bal approchait. J'étais toujours très, très amoureuse de Renaud, et heureuse d'être redevenue sa blonde. Pas seulement parce qu'il était toujours aussi beau et aussi populaire; non, il me plaisait vraiment. Du moins, le Renaud qui était là quand nous étions seuls tous les deux me plaisait énormément. Quand nous n'étions pas ensemble, je n'arrêtais pas de penser à lui, à la façon dont il me regardait, à son beau visage, à son corps que je désirais toujours toucher, caresser. J'avais constamment envie de me blottir contre lui. Mais ce que j'avais déjà remarqué avant semblait s'accentuer: il y avait, en fait, deux Renaud différents, et je ne savais plus trop où j'en étais. Je ressentais de plus en plus souvent des moments de malaise, comme si je ne connaissais à peu près pas ce deuxième Renaud, tellement différent de celui dont j'étais véritablement amoureuse. Ça me donnait l'impression de ne pas réellement savoir qui il était et surtout de ne pas l'aimer autant, celui-là. Et puis, il devenait définitivement de plus en plus impatient, presque agressif.

Autrefois, il n'agissait comme ça que lorsque nous étions en bande. Mais là, même lorsque nous étions seuls tous les deux, le Renaud que j'aimais le moins se manifestait plus souvent. Il était très dur envers plusieurs personnes, surtout celles qui n'étaient pas ou ne pensaient pas comme lui. Il était méprisant et blessant devant certains élèves, les critiquant de plus en plus ouvertement, et ça devenait carrément gênant.

Je me disais que c'était sans doute le prix à payer pour être avec quelqu'un d'aussi cool, mais je commençais à en douter. Et quand j'osais intervenir, c'est moi qu'il toisait d'un air presque méchant. Ça ne s'était produit que quelques fois, et j'avais appris ma leçon. Tant que je ne disais rien, tout allait bien. Cependant, un soir qu'il s'était mis avec deux autres à critiquer un gars de notre école, supposément gai à cause de sa façon de regarder les autres dans le vestiaire avant et après les cours d'éducation physique, je n'avais pas pu me retenir tant leurs propos me choquaient. Ça me fit instantanément penser à Marc-Antoine, un autre qui était supposément gai; décidément, c'était toujours la conclusion à laquelle Renaud arrivait quand des gars lui tapaient sur les nerfs!

Ce jour-là, à la cafétéria, leur conversation sur ce nouveau «cas» a débuté d'une façon assez semblable aux autres, avec des conneries plus ou moins inoffensives qui peuvent se dire entre amis, je présume. C'était cependant allé beaucoup trop loin, selon moi, quand Joey avait dit:

— Lui, le fif, faudrait qu'il se fasse donner une leçon!

Renaud avait répondu:

— Ouais, je pense qu'y est temps qu'il comprenne qu'un suceux de queue a pas d'affaire à nous regarder de même dans le vestiaire! J'te gage qu'il aimerait ça, qu'on lui saute dessus pis qu'on y donne ce qu'il veut, maudit dégueu! Je suis d'accord, faudrait qu'on lui montre comment ça se passe!

Joey en avait rajouté:

— Y mériterait juste ça! Sauf que moi, en tout cas, je voudrais pas y toucher!

Puis Renaud, sur un ton que je n'avais que rarement entendu chez lui, avait conclu, un sourire méchant aux lèvres:

— *Man,* rien que d'y penser, j'ai le goût de dégueuler! Faudrait qu'il se ramasse quelque part avec une gang de grosses tapettes, y serait pus capable de marcher pendant des semaines! Tout ce que j'sais, c'est que si y continue, j'vas y en mettre un dans face...

Je n'en croyais pas mes oreilles. Ce que j'entendais me révoltait et je n'arrivais pas à croire que ce genre de choses sortait de la bouche de mon Renaud. Était-ce vraiment le même gars qui était avec moi d'une douceur presque exagérée? Je ne pus me retenir:

— Franchement, Renaud, c'est dégueulasse ce que tu dis là! Qu'est-ce que ça peut bin faire, qu'il soit gai ou non? Laisse-le donc tranquille!

Il avait presque explosé:

— C'est quoi, ton problème? Ça paraît que c'est pas toi qui se fais regarder par un maudit fif! C'est rendu que je suis quasiment gêné de me changer quand y est là. C'est pas moi qui fitte pas, c'est lui! Pis on en veut pas de ça. On veut pas être obligés de penser à ce qu'il voudrait, ça me lève le cœur! Si ça fait pas ton affaire, t'as juste à pas m'écouter pis aller faire un tour, j'te retiens pas!

J'étais restée complètement bouche bée, totalement assommée qu'il ose me parler sur ce ton. Pour qui se prenait-il? Je m'étais mise à le regarder autrement depuis cet incident. Je savais qu'il était très intolérant, de manière générale, et envers plein de monde. Un nouvel élève qui était arrivé à notre école l'année passée avait fait l'objet d'un nombre incalculable de remarques blessantes de la part de Renaud et on racontait qu'il s'était fait voler son argent de poche régulièrement, briser des choses, bousculer trop de fois pour qu'on puisse les compter. Renaud avait-il participé à ça? Je refusais même de l'envisager auparavant, mais je n'étais plus certaine de rien. Et l'autre, Marc-Antoine, qui semblait être la cible préférée de Renaud et de ses amis depuis le début du secondaire. Il s'était, lui aussi, fait « voler » plusieurs choses. Je le savais parce que tout se sait dans notre école. Téléphone, iPod, calculatrice, portefeuille. En y repensant, je me souvins vaguement que Renaud avait justement «trouvé» un iPod l'an passé, supposément au terrain de foot, et je ne pouvais maintenant m'empêcher de me demander s'il avait eu quelque chose à voir avec ces incidents. Sauf que... Je ne voulais pas voir ce qui aurait peut-être sauté aux yeux de quelqu'un d'autre. Il était plus facile de faire comme si de rien n'était, de me contenter d'être la blonde de Renaud et de compter les jours avant le soir du bal avec beaucoup d'impatience.

Après des préparatifs interminables, des millions de conversations téléphoniques et plusieurs «voyages» de magasinage en ville, Camille et moi étions fin prêtes, et les gars veillaient aux préparatifs beaucoup mieux que nous l'aurions cru. Ils avaient tout organisé afin que nous partions quatre couples de chez Renaud dans une luxueuse limousine de location. Ce serait une belle soirée qui me ferait oublier tout le reste.

* * *

Le grand soir, chez Renaud, il régnait une fébrilité presque palpable. Sa mère, voulant à tout prix que cette soirée spéciale soit mémorable pour son fils adoré, ne tenait plus en place, tandis que son père, lui, était dans la cour arrière, bavardant avec le voisin comme si c'était une soirée ordinaire. Je voyais bien, cependant, qu'il se balançait sur un pied et sur l'autre et que cette soirée n'était pas plus ordinaire pour lui que pour sa femme. En me voyant descendre de l'auto de ma mère, la mère de Renaud s'est précipitée dans mes bras:

— Ahhh, t'es tellement belle, Carolanne. Vraiment, t'as l'air d'une vedette de cinéma!

— Merci... Vous êtes fine, mais je voulais pas trop flasher, c'est pas mon bal à moi...

— T'es vraiment belle, mon Dieu, j'ai les larmes aux yeux! T'es parfaite. Marc! Viens ici, viens prendre des photos, viens voir comme elle est belle, la petite Caro!

J'aimais bien la mère de Renaud, mais je la trouvais quand même un peu trop enthousiaste. Ce jour était important pour elle: son bébé allait à son bal de finissants. Je comprenais, mais j'aurais aimé qu'elle se calme un peu. Le père de Renaud me sourit, appareil photo à la main. Ma mère n'avait pas trop l'air de savoir où se mettre. Elle connaissait les parents de Renaud pour leur avoir parlé à quelques occasions, mais sans plus et, pour une rare fois, elle n'avait pas l'air d'avoir envie de jaser.

— Je sais pas ce qu'il fabrique, mon gars. Ça fait une demi-heure qu'il est dans sa chambre! Il a peut-être besoin d'aide avec sa cravate. Marc, va donc l'aider!

Son père bougonna quelque chose que personne ne comprit et, juste à ce moment-là, Renaud apparut. Mon cœur s'arrêta de battre pendant quelques instants. Il était tellement beau! De le voir comme ça, en habit et cravate, avec ses beaux cheveux brillants et son sourire renversant, me fit oublier toutes les petites choses qui me dérangeaient et je lui souris à mon tour.

La limousine était sur le point d'arriver, alors nous avons posé de bonne grâce pour les dizaines de photos. Puis, nous avons procédé aux échanges de corsages et de boutonnières et avons subi les multiples recommandations et conseils, le tout agrémenté de plusieurs autres dizaines de photos jusqu'à ce que les autres arrivent. Nous avons enfin pu partir pour une soirée inoubliable.

Pour être inoubliable, elle le fut, mais pas exactement pour les raisons que j'aurais souhaitées.

* * *

Les choses se déroulèrent pourtant bien au début. En route pour le bal, tout le monde était de bonne humeur et les trois autres couples étaient aussi beaux et souriants que nous. J'avais Camille près de moi; elle était aussi pâmée sur son Rémi que je l'étais sur Renaud. La limousine était parfaite et les gars se prenaient pour de riches mafieux tandis que nous préférions nous imaginer à une première hollywoodienne. Arrivés à la salle de réception, nous avons là encore posé pour les millions de photos, défilé devant un tas de personnes, nous sommes pâmées sur les robes et les accessoires de toutes sortes qui brillaient de tous leurs feux, nous avons bu du punch et pris place à notre table pour le repas assez ordinaire mais tout de même très, très agréable, et surtout, nous avons ri. Il me semblait que nous passions notre temps à rire. Quoi de mieux?

Renaud avait cependant l'air tendu, mais je mettais ça sur le compte de l'excitation. Ce n'était pas, après tout, une soirée ordinaire! Ou peut-être était-il simplement mal à l'aise de se retrouver habillé de la sorte pendant toute une soirée, coincé dans sa cravate. Moi, j'aurais voulu que ça ne se termine jamais. Par contre, je trouvais que Renaud allait souvent aux toilettes. Il était pire qu'une fille et nous commencions à en faire la blague, Camille et moi. Cependant, lorsque j'ai goûté au «jus» qu'il me tendit discrètement dans une petite bouteille, je compris qu'il ne voulait pas trop en boire devant tout le monde et qu'il se rendait donc aux toilettes bien davantage pour se «désaltérer» que pour se soulager.

Rendu au dessert, il m'avait l'air passablement éméché, mais je n'avais encore rien vu. Comme plusieurs autres filles, j'avais hâte de danser et de me dégourdir un peu. Pendant les discours interminables et la fin du repas, je ricanais avec Camille et nous nous amusions à regarder les robes des finissantes, à penser à ce que serait notre bal, en quoi il serait différent. Nous étions presque certaines qu'il aurait lieu dans la même salle, notre petit village ne regorgeant pas de lieux permettant ce genre de réceptions. Nous étions d'accord sur la décoration: c'était une réussite, et d'après ce qu'on avait pu entendre jusqu'à maintenant, le D.J. était tout à fait acceptable aussi! Il ne fallut donc que quelques minutes pour que la piste de danse soit envahie aussitôt le signal donné.

Camille et moi avions plus hâte que jamais à notre propre bal. Il me semblait que les finissants, les filles surtout, avaient des étoiles dans les yeux; tout le monde était beau et avait l'air heureux. Certains faisaient les clowns sur la piste de danse, d'autres préféraient rester assis, comme Renaud, Rémi et plusieurs autres gars qui étaient venus s'asseoir à notre table alors que nous dansions. Je regardais Renaud du coin de l'œil; son regard s'assombrissait et quelque chose d'indéfinissable chez lui m'inquiétait, me faisait un peu penser à un ressort remonté au maximum, prêt à céder. Il avait cet air que je lui connaissais un peu, vaguement arrogant, les yeux plissés comme s'il était sur le point de dire ou de faire quelque chose d'imprévisible.

À la table d'à côté, plusieurs filles se mirent à scander: «Ricardo! Ricardo! Ricardo!» Je ne le connaissais pas beaucoup, ce Ricardo, mais j'avais entendu son nom assez souvent pour savoir que c'était lui que Renaud et ses amis traitaient de toutes sortes de noms, «maudit gai» étant le plus poli. Il était grand, beau et, je l'appris à ce moment-là, il dansait comme un dieu. Il se leva sous les acclamations de ses admiratrices et s'avança vers la piste de danse où il se mit à tournoyer, à onduler; son corps avait l'air de glisser au rythme de la musique et il était tellement fascinant à regarder que nous lui avons laissé toute la place, retournant à notre table pour pouvoir mieux l'admirer. Une fille se joignit à lui et ils étaient tout à fait magiques, autant ensemble que séparément. Je dansais bien, moi-même, mais ils étaient nettement meilleurs que moi. Leurs mouvements étaient fluides, sensuels, et il était clair qu'ils faisaient ça tous les deux depuis très, très longtemps, des années sans doute. J'étais subjuguée, mais Renaud creva brutalement ma bulle:

— Bon, v'là le fif qui fait son show! Regarde-le danser! Caro, *come on,* tu vas me faire accroire qu'il est pas aux gars, lui?

— M'en fous, il danse super bien! C'est pas parce qu'il danse de même qu'il est gai. Pis même s'il l'était, veux-tu me dire qu'est-ce que ça changerait?

Il me regarda avec un air complètement dédaigneux, et l'espace d'un instant, je me demandai ce que je lui trouvais, et surtout ce je faisais avec un gars comme lui. Cependant, je savais aussi qu'il avait bu, et sans doute beaucoup trop si je me fiais à son haleine. Il se leva en chancelant et se dirigea vers le fond de la salle, aux toilettes, sans doute. Il me décevait et je décidai de l'oublier. Il était nettement plus agréable de continuer à regarder Ricardo danser. La chanson se termina et ce dernier retourna s'asseoir à sa table. Tout le monde ou presque l'applaudissait, les filles surtout, et il y avait de quoi! Camille me chuchota:

— En tout cas, je sais pas s'il est gai ou pas, et honnêtement c'est pas de mes affaires. Mais t'as vu comment il bouge? Il doit avoir un *body* d'enfer, en plus, à danser de même. Ça serait dommage, quand même...

— Quoi, dommage?

— Bin qu'il soit aux gars, c't'affaire, ça serait un maudit gaspillage!

Je le regardai se lever et me dis qu'elle avait bien raison. La façon de danser de Ricardo avait certainement eu le don d'attirer bien des regards! Il se dirigea vers les toilettes et je me demandai vaguement où Renaud pouvait bien être.

J'entendis d'abord un cri, puis je vis un attroupement se former au fond de la salle. Une appréhension bizarre s'empara de moi, presque une prémonition. Je me levai subitement pour aller voir ce qui se passait et ne fus qu'à moitié étonnée de voir Renaud qui, la cravate de travers, tenait Ricardo contre le mur et le frappait. Le visage de celui-ci était en sang et il tentait bien de se défendre, mais Renaud était déchaîné. Rémi s'efforça de retenir son ami, mais il ne réussit qu'à se faire pousser, lui aussi. Finalement, deux professeurs arrivèrent enfin et réussirent à les séparer. Renaud gueulait que « le fif avait essayé de le pogner dans les toilettes ». Curieusement, je ne l'ai pas cru une seule seconde. Ricardo, lui, ne faisait que répéter : « Y est malade! J'ai rien fait, je l'ai même pas regardé! »

Renaud continuait de gueuler toutes sortes de conneries plus débiles les unes que les autres. Vu l'état d'ébriété avancé dans lequel il était, je me l'imaginais trop bien avoir simplement profité de la présence de Ricardo dans les toilettes pour enfin se défouler. Je me demandais ce qui pouvait bien l'enrager à ce point, s'il était jaloux de l'attention que la danse avait suscitée ou si c'était la seule existence de Ricardo qui l'irritait à ce point, mais je n'y comprenais rien. Tout ce que je savais, c'est qu'à ce moment précis, Renaud me dégoûtait. J'étais tellement en colère! Je voulais aller voir Ricardo, m'excuser pour le comportement de Renaud, comme si c'était à moi de faire ça. Mais il savait que j'accompagnais Renaud, alors il ne voudrait certainement pas entendre mes excuses et je ne pouvais pas l'en blâmer. J'avais honte et il me fallait partir. Tant pis pour l'après-bal. Moi? Aller quelque part avec Renaud après ce qui venait de se passer? *No way.* Je le vis qui se faisait accompagner à la sortie de la salle par deux professeurs et un surveillant. La soirée était terminée pour lui, et c'était ce qu'il méritait. Mon chum venait de se faire expulser de son propre bal. Brillant. Il avait été chanceux, apparemment, puisque les autres avaient réussi à convaincre les adultes de ne pas appeler la police et Ricardo n'avait pas voulu porter plainte non plus.

Renaud me cherchait du regard, mais je me faisais discrète. Croyait-il vraiment que j'irais le rejoindre et que je partirais avec lui ? Vraiment ?

Camille était déchirée, ne savait plus si elle devrait rejoindre Renaud ou essayer de tout oublier. Elle me demanda de rester avec elle, Rémi et les autres, disant que tout le monde aurait oublié l'incident d'ici quelques heures, qu'il fallait s'amuser. Elle soutenait que c'était leur soirée, que je ne devais pas la leur gâcher !

— Moi ? La gâcher ? Wô ! Renaud a fait ça tout seul comme un grand ! J'ai pas envie de rester ici à avoir honte du gars avec qui je suis venue, et j'ai certainement pas envie de partir avec lui. Qu'il sèche, moi j'm'en vas chez nous. J'espère juste qu'il y aura pas de conneries de même à notre bal à nous autres !

Rémi n'avait plus trop l'air de savoir quoi faire ou quoi dire. Les autres amis de Renaud avaient plutôt l'air d'être de son côté, disant que Ricardo l'avait sûrement cherché, mais il flottait tout de même un malaise. J'entendais toutes sortes de murmures, allant de: « Je suis sûr qu'il l'a fait exprès, maudit fif!» à « Voyons, y capote, Renaud ! C'est quoi son problème ? »

Malgré la bonne volonté de tout le monde de laisser la soirée reprendre son cours, il fallait bien admettre qu'elle était irrémédiablement gâchée. Ricardo était parti, une serviette remplie de glaçons recouvrant son visage, accompagné de plusieurs de ses amis dont certains nous lancèrent des regards assassins. Des commentaires du genre: « Vous direz merci à Renaud d'avoir gâché la plus belle soirée de sa vie! » ou « C'est l'fun de se rappeler de son bal de même. Maudit malade! » et j'avais plus honte que jamais. Je ramassai mes choses et téléphonai à ma mère pour qu'elle vienne me chercher. Camille décida de rester. C'était son problème. À la sortie, je ne pus éviter Renaud qui allait justement monter dans l'auto de son père. Il se retourna et me regarda, croyant que je venais enfin le rejoindre.

— Bon, enfin, t'es là!

Je l'ignorai. Je ne voulais plus le voir. Quand il comprit que je n'avais pas l'intention de le suivre, il s'approcha et tenta de s'expliquer, de me faire changer d'idée:

— OK, j'me suis peut-être énervé, mais j'te jure, c'était juste trop évident!

— Trop évident, quoi, au juste?

— Qu'il me regardait en me cruisant, j'te l'jure!

— Même si c'était vrai, c'est pas une raison pour lui sauter dessus! T'as besoin d'aide, Renaud, voyons donc! S'il fallait que toutes les filles sautent à gorge des gars qui les cruisent, ça serait beau! Pis en plus, je pense que c'est toute dans ta tête! Laisse-le donc vivre, Renaud!

— Le laisser vivre? Non, j'peux pas le laisser vivre. Ça mérite pas de vivre, des gars de même. Le malade, c'est lui! Je veux pus l'voir. Y avait juste à pas me gâcher ma soirée en faisant la tapette!

Ricardo avait gâché sa soirée, à lui. Vraiment? Quel crétin! Bon, enfin, ma mère arriva. Je ne dis même pas au revoir à Renaud et m'engouffrai dans la voiture. Évidemment, ma mère me demanda ce qui s'était passé et je ne savais pas quoi lui dire. Il était clair qu'elle ne comprenait pas pourquoi Renaud partait avec son père et moi avec elle. J'étais toute mêlée. Je me demandais si je faisais un cas de pas grand-chose, si je m'énervais simplement parce qu'il avait pété les plombs, ce qui arrivait à tout le monde, après tout. Je réalisai à quel point son attitude me dérangeait depuis un bon moment, trop longtemps, et que les choses ne faisaient qu'empirer.

Ma mère n'osait pas trop me questionner et je lui en étais reconnaissante. Après quelques minutes de silence, cependant, c'est moi qui fus incapable de me retenir plus longtemps et je lui racontai tout: ce qui s'était passé au bal, les remarques blessantes que Renaud avait pour tout le monde et qui semblaient empirer depuis quelque temps, son attitude si décevante. Ma mère me dit:

— Qu'est-ce que tu dirais qu'on se fasse un petit thé glacé, à la maison, et qu'on parle de tout ça dans la balançoire, comme on faisait avant ?

J'avais très envie de faire ça. Il y avait trop longtemps que c'était arrivé. Je ne savais pas vraiment depuis quand, au juste, mais ça me semblait une éternité. Ma mère me manquait soudainement, et je compris qu'elle me manquait depuis un bout de temps, mais que je m'étais éloignée d'elle sans m'en rendre compte et sans trop savoir pourquoi. La vieille balançoire que nous avions depuis que j'étais toute petite avait entendu tellement de confidences, avait été témoin de tellement de joies, de peines, de rires et de larmes qu'elle me sembla parfaite pour cette fin de soirée. J'avais désespérément besoin de parler et parler pour vrai comme je n'en étais capable qu'avec ma mère ou, de plus en plus rarement, avec Renaud… et encore. J'avais cru pouvoir remplacer ma mère par Camille, mais je devais admettre que cette dernière n'était pas très utile pour les choses vraiment importantes parce que tout revenait inévitablement à elle. Chaque fois que je lui racontais quelque chose qui me dérangeait ou me plaisait, elle évoquait une situation semblable qui la concernait et toute la discussion se tournait alors vers ce qu'elle vivait, elle, mes sentiments étant soudainement relégués au second plan. Ce soir-là, j'avais plus que jamais besoin d'une oreille et je savais que ma mère serait la bonne personne.

Je suis allée prendre une douche et revêtir ma jaquette préférée. Ma mère m'attendait dehors, bien installée dans la balançoire, et après m'être blottie tout contre elle, je lui ai raconté les détails, sans qu'elle m'interrompe une seule fois, de ce que je lui avais révélé plus tôt. Tant de choses sont sorties en un flot que ça me fit réaliser à quel point j'en avais lourd sur le cœur. Finalement, lorsque j'eus terminé, elle me dit:

— On dirait que t'es inquiète autant que t'es fâchée.

— Oui, c'est vrai. Je m'inquiète pour Renaud. Il file pas ces temps-ci et je sais pas quoi faire pour l'aider. On dirait vraiment qu'il a comme deux personnalités. Y est super fin quand on est juste tous les deux, en tout cas, c'était de même avant, mais aussitôt qu'il est en gang, je le reconnais plus, c'est comme s'il devenait quelqu'un d'autre. Et l'autre, là, je l'aime pas.

— Ah, ma belle, y a rien de pire que les gangs pour faire faire des stupidités. Y a bien des choses que les gens ordinaires font qu'ils feraient jamais s'ils étaient tous seuls, mais ils se laissent influencer, souvent juste pour avoir l'air game…

— Oui, justement! Ils disent des affaires, des fois, et c'est carrément gênant. Comme s'il fallait que chacun dise ou fasse quelque chose d'encore plus con que celui d'avant! Mais le problème, c'est que maintenant, même quand on est tout seuls, il est plus comme il était. Autant avant il était *smooth*, relax, on jasait de toutes sortes d'affaires, autant là, il me parle de rien, il est impatient, il s'énerve pour des niaiseries. Je sais pas qu'est-ce qui le rend de même, mais je sais qu'il est vraiment différent, c'est pas mon imagination.

— Non, je pense pas, moi non plus, mais si tout ce que tu me dis est vrai, c'est clair qu'il a un problème. Il t'a parlé de rien de spécial?

—Non, tout a pourtant l'air de bien aller. C'est vrai qu'il parle pas beaucoup du cégep. Il s'en va en sport-études, comme il voulait, mais y a pas l'air tellement excité. Il va travailler à la piscine encore cet été, et il joue au football. Ça, je sais qu'il est un peu tanné, mais pas tant que ça, quand même!

— Je sais pas trop, ma belle. Mais pour être agressif de même, il faut que quelque chose l'achale sérieusement, surtout si y était pas comme ça avant. Je suis pas sûre que tu puisses faire grand-chose, mais je t'avoue que ça m'inquiète, pour toi sinon plus que pour lui. Est-ce qu'il s'est déjà fâché après toi?

— Bin non! On est pas toujours d'accord, mais il est plus du genre à s'en aller ou s'éloigner quand je lui dis quelque chose qui fait pas son affaire. Non, c'est comme si tout le monde qui pense pas comme lui le dérange, comme si ça l'insultait que du monde différent existe et respire, pis dernièrement on dirait que, dans sa tête à lui, tous les gars qui sont pas sportifs ou *tough* sont des gais. C'est vraiment bizarre.

— Oui, bien y a différentes formes et différents niveaux d'homophobie et je suis contente que tu penses pas comme lui.

— Bin non, c'est con! C'est comme si du jour au lendemain j'me mettais à me moquer de Francesca parce qu'elle est lesbienne. On s'en fout! Mais pourquoi il est comme ça, lui?

— Ça peut venir de ce qu'il a appris, de comment ses parents pensent ou parlent à ce sujet-là. Je connais pas beaucoup son père, mais quand même assez pour voir que c'est un « vrai » gars, qui endurerait pas tellement que son gars soit autre chose qu'un « vrai » gars lui non plus. Je serais pas surprise qu'il l'ait élevé en lui disant de pas brailler s'il se faisait mal ou que tous les « vrais » gars font du sport et des jokes stupides.

— On dirait que tu l'aimes pas beaucoup…

— C'est pas ça, c'est juste que l'intolérance, c'est contagieux et souvent transmis par les parents. Et oui, ça m'énerve. Je pense qu'il y a plusieurs façons d'être un gars et plusieurs façons d'être une fille.

C'est comme si on disait qu'une vraie fille peut juste être super féminine, poupoune, toujours habillée comme une Barbie et que toutes les autres sont des lesbiennes...

— Exactement le genre de commentaire que Renaud ferait !

— Pas étonnant, d'après tout ce que tu m'as raconté. Mais faut que tu fasses quelque chose pour changer ça, ma belle. T'sais, Francesca en a arraché au secondaire, elle aussi. C'est pas mal là qu'elle a compris qu'elle était gaie et même si j'ai été fâchée après elle pendant un bon moment, je sais que ça n'a pas été facile.

— Fâchée ? Pourquoi ?

— Parce qu'elle était mon amie, ma complice et qu'on faisait tout ensemble. Vraiment tout. Mais le jour où elle m'a avoué qu'elle me voyait autrement que comme une simple amie, ça m'a vraiment mise dans une colère terrible. J'acceptais pas qu'à cause d'elle tout change entre nous.

— Pourquoi ça devait changer ?

— Parce qu'elle venait de me dire qu'elle me voyait autrement, qu'elle avait envie de me prendre dans ses bras, de m'embrasser. Tu peux pas imaginer ce que ça me faisait ! Dans ma tête, elle gâchait tout, comme si elle avait décidé ça du jour au lendemain. Je comprenais pas qu'elle n'y pouvait rien et au lieu d'être touchée et flattée de sa confiance pour me parler de quelque chose d'aussi personnel, je l'ai pris comme une trahison. Je m'en suis tellement voulu ! Quand je repense à combien ça a été difficile pour elle, comment elle a été obligée de *dealer* toute seule avec les mauvaises blagues, le rejet, le harcèlement, la peur, la violence, même, juste parce que j'étais pas une assez bonne amie pour la comprendre et la soutenir…

— Je pense qu'elle t'a pardonné depuis, non ?

— Oui, elle est incroyablement généreuse d'avoir réussi à faire ça. Je me suis excusée, mais ça a été long avant que je puisse être à l'aise avec elle. C'est tellement stupide ! Si au moins je m'étais attardée à ce qu'elle ressentait, elle, à la façon dont il fallait qu'elle l'annonce à sa famille et qu'elle l'accepte elle-même ! J'ai été tellement égoïste… C'est pour ça que je te parle tellement d'elle et que je t'ai toujours dit les choses telles qu'elles sont depuis que t'es toute petite.

Elle demeura silencieuse un moment puis ajouta :

— Je pense que t'as juste deux choix. Ou bien tu dis à Renaud qu'il est trop dur à suivre pour toi en ce moment et que t'es pas d'accord avec ce qu'il fait ou dit des fois, ou bien tu fais de ton mieux pour l'aider en essayant de comprendre ce qui se passe et pourquoi il est comme ça.

— Moi? Je peux pas faire grand-chose! Chaque fois que je dis de quoi il se fâche...

— Qu'il se fâche, d'abord! S'il tient à toi, il va peut-être finir par t'écouter!

Je savais qu'elle avait raison. Mais mon problème était que, justement, je n'étais pas du tout certaine qu'il tenait à moi tant que ça. J'avais comme de grosses décisions à prendre et, aussi, des réponses à trouver.

Avant de me coucher, je me demandai ce que Camille, Rémi et les autres faisaient en ce moment. Ils devaient bien s'amuser, mais je n'aurais pas voulu être avec eux. Je revis toute la scène du bal se rejouer plusieurs fois dans ma tête. J'aurais tant voulu faire *rewind* et permettre à la soirée de se terminer autrement!

Mon miroir me renvoya une drôle d'image de moi: une fille aux yeux trop grands, trop tristes. C'était la honte qui me changeait le visage comme ça, et la tristesse aussi. Décidément, plus rien ne marchait à mon goût. Miss Parfaite n'avait plus grand-chose de parfait... Est-ce que ça allait bientôt changer?

Chapitre 11

Touchdownreno

Il me fallut quelques jours pour voir clair. J'avais pris certaines distances et je voyais bien que Renaud regrettait ce qu'il avait fait. Il m'avait téléphoné plusieurs fois, était venu chez moi sans que j'accepte de le voir, avait essayé de me parler à l'école. Là, il y avait comme deux clans. Ceux qui étaient contre lui à cause de ce qui s'était passé et ceux qui l'approuvaient. Je pense que c'était assez partagé, même si je me doutais qu'une large part de ceux qui approuvaient ne le faisaient que parce qu'ils voulaient rester « du bon bord », c'est-à-dire avec les cool de l'école, les sportifs, la majorité des gars. Chez les filles, c'était plus clair. La plupart étaient contre, sauf, encore une fois, celles qui voulaient faire partie de la bonne gang. Je me situais entre les deux. Je ne voulais pas m'afficher ni d'un côté ni de l'autre, mais je voulais tout de même que Renaud sache que je n'approuvais pas ce qu'il avait fait, ce qu'il devenait.

Au bout d'un moment, je choisis une des rares occasions où je pus le voir tout seul pour lui dire que j'hésitais, que je ne savais pas si j'avais envie de continuer à sortir avec lui s'il persistait à agir comme il le faisait. Je lui ai dit que j'aimais vraiment beaucoup le bon gars que je connaissais, mais que je détestais l'autre. Il a admis qu'il avait exagéré, s'est excusé et a eu l'air suffisamment sincère pour que je le croie. J'ai donc décidé de poursuivre ma relation avec lui tout en restant sur mes gardes et, pour lui donner une opportunité de se reprendre, j'ai ravalé la honte que j'avais ressentie.

Ricardo, quant à lui, avait eu de la chance. Il avait eu le nez cassé et un œil au beurre noir, mais sans plus. Comme il ne restait que des examens au cours des derniers jours de l'année scolaire, Renaud et lui ont réussi à s'éviter assez facilement, ce qui était une très bonne chose.

Après avoir réalisé qu'elle n'était pas venue à l'école depuis un moment, nous avons appris que Cassandra avait « disparu » sans même terminer sa session d'examens de fin d'année. Cette nouvelle m'a mise dans un drôle d'état. On disait qu'elle ne s'était pas fait enlever ou rien du genre, mais qu'elle était partie de chez elle après une dispute avec sa mère. Cette information me soulagea, car j'y voyais une preuve de non-culpabilité de ma part. Je ne voulais tout de même pas être responsable de la fugue de quelqu'un! Sauf que le message de détresse que j'avais lu, celui que j'avais « trouvé » dans son casier, me revenait constamment en tête. L'impression que j'avais mal compris, mal interprété ce qui s'était réellement passé et qu'elle aurait mérité qu'on l'écoute me hantait, peu importait la situation avec sa mère. Je me promis d'essayer d'en savoir plus.

Je trouvais que trop de choses se passaient tout d'un coup, comme si notre monde habituel s'écroulait. Je me demandais si c'était normal, tous ces bouleversements, et m'interrogeai sur le vrai sens de la « normalité » pour un pathétique petit patelin comme le nôtre. J'imaginais bien que chaque village et chaque école ont leurs personnages aux rôles bien précis, comme si nous faisions tous partie d'une pièce de théâtre, que toute la vie, en fait, est une gigantesque et interminable pièce de théâtre dans laquelle se déroulaient souvent des événements tels que ceux que nous venions de vivre.

Quoi qu'il en soit, nous avons terminé l'année comme nous l'avions commencée, en nous occupant de nos affaires, tous les autres personnages s'occupant des leurs : les ex-amies de Cassandra étaient aussi grosses et nulles qu'avant, Anne-Sophie, aussi greluche. Le prof de math a rangé pour l'été ses explications emmerdantes, celui d'éducation physique a fait ses multiples blagues totalement « indrôles » jusqu'à la dernière journée. Marc-Antoine a continué péniblement d'exister même s'il s'était cassé le bras et la clavicule à la suite d'une chute mystérieuse; il était plus pathétique que jamais. Les parfaits-comme-Renaud-et-sa-gang-de-football, eux, ont continué à être parfaits. Les profs plates, les surveillants cool, tous avaient contribué à faire de notre école un « lieu où il avait fait bon apprendre ». Bin oui. Pfff. Normal? J'en doutais. Moi, je croyais plutôt que toute cette mise en scène était sur le point de s'écrouler, nos masques, de se fissurer, et c'était épeurant.

J'avais beau sentir ma conscience s'éveiller, avoir de petits soubresauts de honte ou de regrets, je décidai de faire comme d'habitude lorsque j'avais peur: faire comme si tout était parfait. C'est ainsi que je devins facilement et confortablement bien plus préoccupée par l'été qui arrivait enfin, les délicieux jours de baignade et de soleil que par tout le reste.

* * *

Malgré nos discussions et sa bonne volonté, Renaud, lui, ne se laissait pas gagner autant que moi par la béatitude estivale. Il était d'humeur plus changeante que jamais. Il me semblait qu'il aurait dû être content, que les vacances auraient dû le détendre, mais il avait l'air, au contraire, de plus en plus nerveux. Il n'était pas très bavard, ce qui n'était pas nouveau sauf les bons jours, mais il passait de plus en plus de temps sur son ordi ou à répondre à de multiples messages sur son téléphone. Même quand nous étions ensemble, seuls tous les deux, ses amis n'arrêtaient pas de lui envoyer toutes sortes de vidéos ou de blagues qui interrompaient constamment nos discussions et ça m'agaçait, alors que lui semblait trouver important de répondre sur-le-champ. J'aurais sans doute mieux compris si certains de ces messages n'avaient pas eu l'air aussi secrets. En plus de s'éloigner carrément de moi pour les lire, il refusait que j'utilise son téléphone comme s'il avait peur que je me mette à fouiner; chaque fois que je voulais le lui emprunter, même si ce n'était que pour jouer à un jeu que je n'avais pas sur le mien, il trouvait une excuse pour refuser. Il n'en fallait pas beaucoup plus pour que la jalouse en moi s'imagine toutes sortes de choses, mais je réussissais à me contrôler.

Peut-être était-ce exactement ce dont j'avais besoin pour me changer les idées ou me rassurer, mais toujours est-il que, du côté intime, nous avons enfin eu une première fois digne de ce nom le 12 août, à 2 heures de l'après-midi très précisément, soit quelques jours seulement avant mon anniversaire. Nous l'avions planifié dès l'annonce que le champ serait libre tout un après-midi chez Renaud. Ça me fit un peu oublier le reste. Malheureusement, ça s'est aussi avéré être notre dernière fois. J'étais allée le rejoindre chez lui. Il était en congé, ses parents étaient tous les deux au travail, alors nous avions la paix, enfin. Il m'attendait avec impatience et j'étais flattée qu'il soit dans le même état que moi, qu'il ait aussi hâte. En fait, à l'instant où j'ai mis les pieds dans sa chambre après être entrée dans la maison déserte, il a éteint son écran d'ordinateur et sa webcam presque précipitamment et m'a prise dans ses bras. Il avait l'air tellement pressé et excité, c'était fantastique de me sentir aussi désirée. Enfin! Il se comportait exactement comme je l'avais espéré: passionné, fougueux, impatient de glisser sa peau nue contre la mienne. Il était déjà dur dès notre premier baiser et j'ai été flattée de voir que je lui faisais autant d'effet. Il m'a entraînée vers son lit et je n'attendais que ça. Ses baisers m'excitaient et je ressentais de drôles de choses dans mon corps, des choses pas désagréables du tout. Il retira mes vêtements presque rudement et me caressa avec une passion que je ne lui avais jamais connue et que j'adorais. Il me demanda de le prendre dans ma bouche et comme j'avais vraiment envie de lui faire plaisir, j'obéis avec joie.

Allongé sur son lit, il avait les yeux fermés et savourait mes caresses. Puis, au bout de quelques minutes, il me fit étendre sur le dos et se frotta tout contre l'entrée de mon corps, poussant doucement au début puis assez fort pour pénétrer au plus profond de moi. Ça me fit mal, mais la douleur était beaucoup moins vive que la première fois. Ses yeux étaient toujours fermés et plissés, comme s'il fournissait un grand effort. Il me faisait l'amour enfin, comme j'en avais rêvé, et au bout de quelques minutes, la douleur fit place à une sensation beaucoup plus agréable. J'étais humide, là, et il glissait en moi de plus en plus facilement. J'aurais aimé qu'il me regarde, qu'il m'embrasse, mais son visage était toujours totalement fermé, hermétique à mon désir autant qu'à mon regard. Ce n'était pas grave, car il était tout de même exactement là où je le voulais.

Il accéléra, de plus en plus, jusqu'à ce que son corps soit parcouru d'un tremblement intense. J'en conclus qu'il avait joui; j'aurais voulu qu'il continue à me caresser, qu'il reste près de moi, mais il se retira et partit plutôt à la salle de bains et y resta un long moment. J'entendis la douche couler et tentai de me détendre. Je ne pouvais m'empêcher de me demander ce qu'il manquait, au juste. Ça s'était bien mieux passé que la fois précédente, alors j'aurais dû être satisfaite, mais même si je n'avais que très peu d'expérience de ce genre de choses, il me semblait vraiment qu'il aurait dû y avoir autre chose sans pourtant que je sache quoi. Un baiser, au moins?

Quelques petits mots doux, peut-être? Si au moins j'avais ressenti plus de plaisir! Mais tout s'était terminé beaucoup trop vite...

Je pense que je me suis endormie. Quand j'ai rouvert les yeux, je n'entendais rien, comme si Renaud était sorti. Puis, le son distinctif du ballon de basketball qui rebondit m'indiqua que mon amoureux était dehors.

Je m'assis au bord du lit et, sans que je comprenne trop pourquoi, mon regard a été attiré par l'ordinateur. Il trônait là, l'écran n'attendant qu'une petite pression du doigt sur le clavier ou un mouvement de la souris pour prendre vie. Ma curiosité l'emporta et je commis le geste qui changea tout: j'allai fouiller dans ses conversations restées ouvertes. Je me disais que s'il avait eu quelque chose à cacher, il aurait fermé ses fenêtres incriminantes, alors je ne faisais rien de mal.

D'abord incrédule, ce que je vis dans l'instant qui suivit me mit dans une colère terrible. Une certaine Jo, au ridicule pseudonyme de «josexybody» disait:

— J'ai hâte que ça soit vrai, j'ai hâte de te toucher, de te prendre au complet dans ma bouche...

Et Renaud, ou plutôt «touchdownreno» répondait:

— Moi aussi, ça sera pas long, juste 3 jrs :-b

La conversation datait du jour même; trois jours

nous menaient donc à samedi. Le lendemain de mon anniversaire. Quel beau cadeau! Qui c'était, Jo? Mon cerveau tenta de réfléchir à toute allure. Une fille de l'école? Josiane Lavoie? Non, impossible. Joanie Berthiaume? Peut-être. S'il fallait que ce soit elle, je la tuerais. Je lus les échanges précédents et compris qu'ils ne se connaissaient pas beaucoup, qu'ils allaient se rencontrer, en personne du moins, pour la première fois.

Josexybody:

— Depuis l'autre soir, j'arrête pas de penser à toi… J'ai hâte de te toucher partout, j'la goûte presque…

Touchdownreno:

— Tu vas pas juste y goûter, j'espère…

Josexybody:

— T'es sûr qu'il y a personne à la piscine le samedi à 10 h?

Touchdownreno:

— Sûr, c'est moi qui ferme à 10. Attends un peu, peut-être vers 10 h et demie juste au cas où y aurait des branleux, mais après ça, t'auras juste à cogner, je vais t'ouvrir la porte.

Samedi soir, après la fermeture de la piscine. J'étais enragée. Ils ne s'étaient jamais vus, mais parlaient de faire ce genre de cochonneries ensemble! C'était incroyable. Moi qui croyais ne pas bien connaître Renaud, du moins une partie de lui, je me rendais compte que c'était cent fois pire que je pensais. Je devais absolument découvrir qui cette fille était et ce qu'elle venait faire dans notre vie. Moi qui croyais que j'offrais à Renaud tout ce qu'il aurait pu vouloir, je venais de tomber de haut! J'étais blessée, fâchée, et je ne savais pas comment agir face à lui. Il m'avait souvent dit qu'il n'y avait pas d'autre fille dans sa vie, mais j'avais la preuve du contraire devant les yeux. Si je le confrontais, il m'accuserait d'être aussi jalouse qu'avant. Si je lui disais que j'avais vu ça, il m'en voudrait d'avoir fouillé sur son ordi. Peu importait, le résultat était le même: j'avais eu raison, après tout, de douter de lui! Il était impossible que je me trompe sur la nature de ces échanges, car ça n'aurait pas pu être plus clair. Je ne savais pas ce qu'elle avait de plus que moi, cette Josexybody, et je conclus qu'elle devait être toute une salope pour parler comme ça à un gars qu'elle ne connaissait même pas. Je scrutai la liste des amis Facebook de Renaud pour la trouver — il me fallait voir au moins une photo d'elle, c'était vital. Je la trouvai, mais sa page ne comportait aucune photo et ses albums de photos étaient vides. La seule image disponible était sa photo de profil qui représentait un personnage de bande dessinée débile. C'était tellement insupportable! Je devais découvrir où et quand ils s'étaient connus et depuis quand ils préparaient cette rencontre. Ils ne s'étaient apparemment vus qu'une seule fois, mais avaient eu le temps d'avoir plusieurs conversations, et avec la webcam, bien sûr. Sans doute très souvent juste sous mon nez, en plus.

J'hésitais entre cliquer sur l'icône de la caméra et celui des messages lorsque j'entendis la porte de la maison qui claquait. Renaud rentrait. Je refermai la fenêtre des messages que j'avais ouverte et sautai au lit pour faire semblant de dormir; j'espérais de tout mon cœur qu'il ressorte pour que je puisse continuer de regarder tout ça plus attentivement. Mais non. Il entra dans la chambre et s'approcha, me flatta les cheveux tout doucement et me dit:

— Caro, faut que tu te réveilles, mes parents vont revenir bientôt. Ça serait mieux qu'ils te trouvent pas endormie toute nue dans mon lit...

Je fis semblant de m'étirer. J'étais capable d'être hypocrite jusqu'à un certain point, moi aussi, et de faire semblant, mais le regarder dans les yeux en mentant m'était impossible. Toutes mes forces étaient concentrées dans ma volonté de ne pas lui cracher au visage ce que je venais de découvrir. Je venais de décider ce que j'allais faire: je le surprendrais plutôt en pleine action avec cette pute de Jo, peu importe qui c'était. J'irais à la piscine moi aussi, samedi soir, autour de dix heures, dix heures et demie. Il ne pourrait pas nier, ne pourrait pas m'accuser de l'espionner ni de quoi que ce soit d'autre. Je dirais que je voulais lui faire une surprise et le regarderais essayer de s'en sortir cette fois-ci. J'étais bien curieuse de voir ça. Un petit sourire dur et méchant qui devait ressembler à celui de Camille se dessina sur mon visage. Je sentais mes yeux brûler et je fis un énorme effort pour ne pas pleurer. Surtout pas. Ça aurait tout gâché et je ne devais absolument pas mettre la puce à l'oreille de Renaud. Il trouvait que j'étais trop jalouse? Que je ne lui faisais pas confiance, que j'étais impossible? Eh bien. Je pourrais enfin lui lancer à la figure que j'avais eu bien raison de me méfier. Qu'il n'était qu'un menteur, un salaud, un tricheur. Je me trouvais tellement idiote de m'être inquiétée de lui, d'avoir voulu l'aider! J'avais pardonné ses comportements pour le moins douteux, je l'avais soutenu. Il avait dû me trouver vraiment naïve, penser qu'il pouvait me faire avaler n'importe quoi.

J'aurais voulu voler l'ordinateur de Renaud pour en connaître davantage. Je me rendis compte que ceci venait d'éclipser toutes les sensations extraordinaires que j'avais ressenties plus tôt et je lui en voulus pour ça, aussi.

Trois jours à attendre. Trois longs et pénibles

jours. Mais j'attendrais et je serais au rendez-vous. Pour rien au monde je ne manquerais cette rencontre-là. Rien.

Chapitre 12

Chère Carolanne, c'est à ton tour...

Mon premier réflexe avait été d'aller tout raconter à Camille, mais je m'étais finalement retenue. Renaud était son ami, elle prenait toujours sa défense et j'avais l'impression que c'était mon combat à moi. Personne ne pourrait m'accuser d'avoir trop d'imagination cette fois-ci, mais je sentais confusément que ça aurait été une erreur de lui confier ce qui, en ces circonstances, allait bien au-delà des soupçons. J'avais probablement moins confiance en elle qu'avant — je n'arrivais pas à oublier l'épisode de l'argent qu'elle avait «emprunté» à la caisse du projet humanitaire sans m'en parler — et je restais sur mes gardes. Je réussis donc à faire comme si rien de spécial n'était en train de se produire, comme si ma vie n'était pas sur le point de voler en éclats.

Le lendemain de mon affreuse découverte sur la vie secrète de mon amoureux, je demandai à ce dernier, bien innocemment, si nous faisions quelque chose ensemble ce samedi soir, question de fêter les vacances qui terminaient bientôt. Il me répondit qu'il travaillait à la piscine jusqu'à dix heures et qu'après il allait se coucher parce qu'il avait un entraînement tôt le lendemain matin. Les entraînements ne l'avaient jamais empêché de faire quoi que ce soit auparavant, mais, évidemment, je ne dis rien. Il me suggéra plutôt d'aller le rejoindre à la piscine samedi après-midi et de rester souper avec lui comme nous le faisions régulièrement depuis le début de l'été. Bien sûr que j'irais. Il ferait beau et je passerais l'après-midi à me pavaner devant lui avec le nouveau bikini que je venais tout juste de m'acheter. Je me demandais ce qu'il en penserait, s'il aurait envie de changer ses plans pour la soirée... J'étais bonne actrice, et il me semblait tout à fait impossible qu'il se doute que j'étais au courant de ses véritables intentions. Et d'être au courant me donnait un autre avantage: je savais, moi, que nous nous verrions ce soir-là, et je pouvais donc me préparer en conséquence.

Mais avant d'arriver à ce soir fatidique, il y avait la veille qui était du même coup mon anniversaire. Je l'attendais avec impatience depuis des mois, mais n'y avais presque pas pensé depuis... depuis Josexybody. J'allais avoir seize ans et j'avais l'impression que mes parents me réservaient une belle surprise, mais le cœur n'y était tout simplement pas. Sans connaître ses plans précis, je savais que

Camille m'organiserait quelque chose et ne fus donc pas étonnée lorsque Renaud me demanda si j'avais envie d'aller souper en ville avec Camille et Rémi ce soir-là. Il me réservait sans doute une surprise, un cadeau spécial peut-être, pour me faire croire que tout allait pour le mieux dans le meilleur des mondes ou pour soulager sa culpabilité; ça me semblait sans importance. Peu importe ce que ce serait, je ne serais pas naïve: ce serait un cadeau empoisonné. De penser qu'il me croyait assez stupide pour avaler un tel subterfuge me rendait folle de colère. C'était pire que ses mensonges. De toute manière, j'étais obsédée par la fameuse Jo, je voulais enfin voir qui c'était et planifier ma vengeance. Contrairement à l'histoire avec Cassandra, cette fois-ci je lui en voulais à lui autant qu'à elle. Il n'avait pas l'excuse que nous étions «en break» et rien ne pourrait m'emmener à lui pardonner.

Normalement, je suis impulsive, je me mets dans tous mes états quand je pique une crise, mais là, j'étais dans une colère froide, presque calme, et ça me faisait un peu peur. Je pense que j'avais hâte de le confronter, ne serait-ce que pour lui prouver hors de tout doute que j'avais raison de ne pas le croire cette fois-ci et que je ne pourrais plus jamais lui faire confiance. On aurait dit qu'avoir raison était plus important que la douleur de savoir qu'il me faisait ça, à moi. Je ne voulais même plus savoir combien de fois il m'avait menti de la sorte. Ce n'était plus important. Il m'avait eue au moins une fois, il ne m'aurait plus.

Je continuai à exploiter mon talent d'actrice toute la journée de vendredi. Lorsque mes parents m'annoncèrent qu'en plus de m'offrir mes cours de conduite ils me donneraient en cadeau la voiture de ma mère dès que je pourrais légalement la conduire, j'ai réussi à tout oublier pendant quelques instants. Même Renaud n'était pas parvenu à gâcher le plaisir que me procurait cette belle surprise et c'était tant mieux. C'est donc grâce à cette incroyable nouvelle que je réussis à aller célébrer mon anniversaire en ville avec Camille, Rémi et Renaud. J'aurais dû être contente, heureuse de partager cette joie avec mes amis et de passer une belle soirée avec mon chum, mais je me sentais plutôt comme à côté de moi-même, comme si j'étais dans une pièce de théâtre, encore une fois, où j'avais le premier rôle que je jouais à merveille.

Nous avons choisi un restaurant de pizzas bien bruyant, ce qui était parfait; il était plus facile de faire comme si tout allait bien dans un endroit animé où il se passait plein de choses. Je faisais des efforts surhumains et continuels pour ne pas péter les plombs et déballer tout ce que je savais à Renaud;

je me répétais mentalement qu'il me fallait tout constater de mes yeux et le confronter par la suite pour voir s'il essaierait de me mentir, d'amoindrir ce qu'il ne pourrait nier. C'était le seul argument valable pour me faire tenir ma langue.

Au bout d'un moment, j'arrivai à me détendre suffisamment pour profiter de cette soirée qui devait être « la mienne ». L'atmosphère du restaurant était chaleureuse et agréable, et je me rendis soudainement compte que, malgré tout, malgré surtout la boule qui me pesait autant dans la gorge que dans l'estomac, j'étais contente d'être là. Je me demandai comment je me sentirais l'an prochain, à cette date. J'aurais terminé mon secondaire, je m'apprêterais à rentrer au cégep; je me demandai qui serait avec moi pour fêter mes dix-sept ans, et à la pensée que Renaud ne serait de toute évidence plus à mes côtés, je sentis les larmes me monter aux yeux. J'eus beaucoup de mal à continuer de sourire même si je voulais profiter de ce dernier moment agréable avec lui. J'y arrivai miraculeusement, me mêlai aux conversations, fis même quelques blagues devant les cadeaux complètement fous de mes amis et me surpris même à rire. Je me sentais comme dans des montagnes russes; j'arrivais à oublier ce qui me pendait au bout du nez pendant quelques minutes et j'arrivais à sourire. Puis, quelque chose m'y faisait penser et je sombrais, ne voulais que hurler ma douleur et ma colère.

Quand Renaud m'offrit de magnifiques boucles d'oreille et me chuchota à l'oreille que j'étais la seule fille qu'il n'ait jamais aimée, je manquai m'étouffer. Tout le monde nous regardait, alors je n'allais pas faire une scène! Quand il essaya de me prendre dans ses bras, je le repoussai, prétextant que je ne me sentais pas bien, que j'avais trop mangé et que j'avais un peu mal au cœur tout à coup. J'avais bien mal au cœur, mais pas à cause de la pizza, et pas pour vomir. Pour pleurer, surtout, et frapper quelqu'un ou quelque chose. Je me crispais tellement les mâchoires, j'étais dans un tel état de nervosité que je me sentais prête à exploser à tout moment.

Évidemment, Camille remarqua mon état. Même si je me croyais très habile, elle me connaissait mieux que quiconque. Elle me fit signe de la suivre aux toilettes et m'interrogea:

— Toi, y a quelque chose qui va pas... T'es bizarre depuis quelques jours. Y a quelque chose qui se passe?

Je n'avais pas plus envie de lui mentir que de tout lui dire, mais dès que je commençai, je fus incapable de m'arrêter:

— Oui, y a quelque chose qui se passe, mais comme je sais pas encore exactement quoi, j'aime mieux pas en parler.

— Renaud ?

— Ouain, mettons.

— J'espère que t'es pas encore en train de faire des histoires pour rien... Il t'aime au boutte, tu le vois bien, j'espère ?

Une autre qui trouvait que j'hallucinais, que j'inventais des problèmes. J'en eus assez.

— Bin, peut-être que cette fois-ci j'ai des bonnes raisons de croire que c'est justement pas des histoires ! Peut-être qu'au fond j'ai toujours eu raison de douter de lui pis que cette fois-ci je vais le savoir une bonne fois pour toutes !

J'avais du mal à parler à voix basse. Nous étions seules dans les toilettes, mais quelqu'un pouvait entrer à tout moment et je ne souhaitais certainement pas partager cette conversation avec des inconnus. Camille me regarda avec un énorme point d'interrogation au visage. Elle me dit :

— Écoute, Carolanne, tu trouves pas que ça va bien avec Renaud ces temps-si ? Tu vois pas qu'il est toujours avec toi pis qu'il regarde pas ailleurs ?

— Ouain, ça, c'est toi qui le dis. Moi, ce que je vois, c'est un gars qui a justement de moins en moins envie d'être tout seul avec moi, qui pogne les nerfs pour rien, qui pète les plombs pour des niaiseries, qui fait chier tout le monde comme Ricardo au bal. Tu trouves qu'il est normal, toi ? Moi, non. Pis je pensais qu'il filait pas, que je pouvais peut-être l'aider, mais j'ai vu tout ce que j'avais besoin de voir sur son ordi l'autre jour…

— Quoi? T'as fouillé sur son ordi?

— J'ai pas fouillé, c'était là. S'il voulait pas que je voie, y avait juste à se déconnecter!

Elle me regarda avec un air à la fois rempli de réprobation mais avec, aussi, une énorme curiosité. Oui, elle aimait les histoires, les rumeurs, les ragots, mon amie. J'allais la servir.

— Bin imagine-toi donc qu'il a donné rendez-vous à une certaine Jo à la piscine demain soir, entre dix heures et dix heures et demie. Pis ça s'adonne qu'il m'a dit à moi qu'il allait vedger parce qu'il a un entraînement de bonne heure dimanche matin. J'me fais toujours des idées, tu penses? J'ai lu ça avec mes yeux, Cam, j'ai rien imaginé ou inventé.

Pour une rare fois, elle ne trouva absolument rien à dire. Elle me prit plutôt dans ses bras et me serra trop fort.

— Et qu'est-ce que tu vas faire?

— Je vais y aller, qu'est-ce que tu penses. Faut que je sache c'est qui, faut que j'y voie la face. Renaud me prendra pas pour une épaisse de même longtemps, je lui laisserai pas l'occasion de me dire que je suis trop jalouse pour rien cette fois-ci.

— Tu vas lui laisser savoir que t'es là?

— Je sais pas, on verra comment ça se passe.

Je ne dis plus rien pendant quelques instants. Elle ajouta:

— Je suis sûre que je le saurais, Caro, s'il se passait quelque chose. Il me l'aurait peut-être pas dit, mais je l'sentirais. Je le connais comme le fond de ma poche. Tu penses pas qu'il peut y avoir une autre explication?

— Penses-tu vraiment que «j'ai hâte que ça soit vrai, j'ai hâte de te toucher, de te prendre au complet dans ma bouche...», ça peut vouloir dire autre chose?

Encore une fois, elle resta silencieuse. Puis elle me demanda, comme je l'espérais un peu:

— Veux-tu que j'y aille avec toi? Je suis certaine que c'est pas ce que tu penses même si à ta place je penserais sûrement la même chose. Mais si c'est vrai, il va savoir ma façon de penser, c'est sûr! Depuis le temps qu'on est amis, y a besoin de pas me raconter d'histoires! Ça tombe bien, j'ai rien demain soir...

J'hésitai. Oui, j'avais envie qu'elle soit là, qu'elle soit témoin, elle aussi, et s'il fallait qu'il y ait une toute petite chance qu'elle ait raison et que ce ne soit pas ce que je croyais, je l'accueillerais à bras ouverts même si j'en doutais vraiment beaucoup. Peu importe ce qui se passerait, j'avais envie de son soutien, de son appui, de son amitié. Il me semblait que tout serait moins pire avec elle. Si ce que je pensais allait se produire, j'aurais mal et je ne savais pas du tout comment j'allais réagir. Ce que je redoutais le plus était d'intervenir, de me mettre à l'engueuler, d'être déchaînée et de faire une folle de moi. Si Camille venait, elle pourrait m'empêcher de faire ça. Elle pourrait m'aider à me calmer, m'éloigner, me faire respirer par le nez et envisager la suite avec moi.

D'un autre côté, l'humiliation serait telle que je n'avais pas vraiment envie que quelqu'un d'autre assiste à ça. Mais c'était Camille, et elle était déjà au courant. Je n'avais donc plus grand-chose à perdre et tout à gagner. Ainsi, je lui donnai rendez-vous chez moi, dans l'après-midi, nous irions à la piscine ensemble et après? Après, je verrais.

* * *

Samedi, quand nous sommes arrivées à la piscine, au milieu de l'après-midi, il y avait foule. C'était une journée magnifique et toutes les familles s'étaient donné le mot pour profiter des derniers beaux jours de vacances. J'avais l'impression que l'école était là au grand complet, aussi, et je ne pouvais m'empêcher d'observer toutes les filles derrière mes lunettes noires. Je cherchais évidemment des indices, une

«Jo» à qui je n'aurais pas pensé. Je vis Josiane Lavoie, tellement insignifiante dans son maillot une pièce qui laissait trop paraître ses grandes jambes maigres. Puis, j'aperçus Joanie Berthiaume qui, je le compris, sortait avec Jérémie. C'était nouveau, apparemment, et ils ne se lâchaient pas d'une semelle. Je me trouvais vraiment en retard dans les nouvelles; ils avaient l'air trop amoureux pour qu'elle puisse être mon adversaire. Qui alors? Je ne trouvais personne d'autre et le mystère était total.

Renaud avait l'air tout à fait naturel comme seul un menteur expérimenté peut l'être dans de telles circonstances. Il me regardait souvent et je m'étais arrangée pour me mettre en valeur. Mon nouveau maillot était assez spectaculaire et je sentais bien d'autres regards sur moi que le sien, ce qui ne me déplaisait pas du tout. Bien sûr, tout le monde savait que j'étais en couple avec Renaud depuis plusieurs mois, alors personne ne faisait de commentaires à haute voix, mais une fille sent bien le regard des autres, des gars surtout, n'est-ce pas? J'espérais que Renaud s'en rende compte, lui aussi. Oh, comme je l'espérais!

Camille avait la mine renfrognée et je voulais qu'elle change d'attitude, sinon Renaud se rendrait peut-être compte de quelque chose. Déjà que Rémi lui reprochait d'avoir l'air ailleurs, même d'être bête!

Je tentai de lui parler, mais tout ce qu'elle me répondit fut:

— J'le regarde et si c'est vraiment vrai, ce qu'il se prépare à faire ce soir, il m'écœure. J'ai l'impression qu'il m'a menti dans la face à moi aussi! Je sais pas comment tu fais pour rester calme de même...

Peut-être valait-il mieux que je revienne seule en soirée, en fin de compte. Elle gâcherait tout, et c'est peut-être moi qui devrais l'empêcher de se manifester, alors que c'était le contraire que j'espérais d'elle. Je ne savais plus et décidai d'attendre et de voir comment les choses se passeraient. Pour le moment, je continuais à mettre le paquet, m'exhibant devant Renaud, choisissant le moment où il me regardait avant de plonger du plus haut tremplin, appliquant ma crème solaire avec les gestes les plus langoureux possible.

Vers l'heure du souper, les sauveteurs indiquèrent qu'il était l'heure de sortir; l'horaire prévoyait que la piscine ne soit accessible qu'aux adultes. C'est le moment où Renaud prenait sa pause.

J'avais apporté un sandwich et partis rejoindre Renaud tandis que Camille et Rémi s'en allaient de leur côté. Je l'accompagnai au parc et nous avons mangé en silence à l'ombre d'un arbre. Puis, il m'a prise dans ses bras et je me sentis fondre. Il avait l'air tout doux, tout romantique, et je me surpris à espérer qu'il avait enfin réalisé que je pouvais lui donner tout ce qu'il voulait, qu'il n'avait besoin de personne d'autre. Il m'embrassa et je ressentis de drôles de choses dans ce baiser. De l'amour, je pense. De la tristesse, aussi, je l'aurais juré. Il s'accrochait à mes lèvres comme si ce baiser en était un d'au revoir et, le percevant ainsi, je m'accrochai, moi aussi. Je ne voulais pas d'un au revoir et je ne comprenais vraiment plus rien. Si c'était le cas et que ça l'attristait, pourquoi le faisait-il, alors ? Pourquoi ne choisissait-il pas de revenir en arrière et de me laisser devenir aussi importante pour lui qu'il l'était pour moi ? Je ne pus empêcher quelques larmes de déborder de mes yeux. Il recula un peu, me regarda et me demanda ce qui se passait.

Je me sentais prise au piège. J'avais terriblement envie de lui dire que je savais tout, mais ma colère était remplacée par une tristesse incroyable, et les seuls mots que j'aurais été capable de lui dire en auraient été de supplication. Et ça, je ne voulais pas. Le supplier de m'aimer ? Moi ? Ça aurait été ridicule et pathétique. J'avais beau penser à Josexybody, je nageais en pleine confusion. Je ne voulais pas le perdre, mais il n'était pas question de me mettre à genoux devant lui. Je lui demandai tout de même, pleine d'espoir comme si je lui donnais une chance ultime de reculer :

— On peut toujours pas se voir plus tard, quand t'auras fini ?

Il ne prit même pas le temps d'hésiter :

— Non, pas ce soir. Faut vraiment que je relaxe, je suis brûlé.

C'était tout ce qu'il fallait pour faire revenir la colère. Je me relevai sans rien laisser paraître. Je n'allais pas lui donner une autre chance de m'accuser de bouder pour rien. Je dis plutôt, avec un sourire narquois bien déguisé en blague :

— C'est vraiment dommage, j'aurais aimé ça te voir, mais je comprends. C'est important que tu sois en forme pour ton entraînement, les vraies *games* s'en viennent. Tu vois combien je peux être compréhensive et attentionnée ? C'est parce que je t'aime, oublie jamais ça !

Et je partis, lui soufflant un petit baiser, un faux sourire aux lèvres. Il ne se rendit compte d'absolument rien.

* * *

Je retournai chez moi et essayai de me changer les idées. Mes parents recevaient des amis à souper. C'était parfait, car je pouvais disparaître dans ma chambre sans qu'ils disent quoi que ce soit. Vers huit heures, n'y tenant plus, je textai Camille pour qu'elle vienne me rejoindre. Elle arriva quelques minutes plus tard.

— T'es prête? me demanda-t-elle en entrant dans ma chambre.

— Bin non, c't'affaire. Je suis pas prête à voir mon chum qui me trompe, mais j'ai pas le choix. S'il veut me niaiser, je vais le niaiser moi aussi.

— T'as un plan, au cas où c'est vraiment ça qui se passe?

— Peut-être. Je pensais les prendre en photo et lui envoyer sur son cell. Comme ça, j'aurais même pas besoin de lui parler. Par contre, je pense que je vais attendre de voir s'il me ment en pleine face et là, je lui montrerai la photo. Qu'est-ce que tu penses?

— J'a-d-o-r-e ta deuxième idée. Si y est assez con pour te tromper, y est assez con pour essayer de te faire accroire que t'exagères, ou que c'est pas ce que tu penses si tu lui dis que tu l'as juste «vu». Sauf que le flash de la photo risque de tout gâcher... et si tu réussis à en prendre une sans qu'il s'en aperçoive, comment tu vas lui expliquer que tu l'as vu? T'étais là par hasard?

— Exactement. Une fille a le droit de se promener au parc un soir d'été, non? Surtout quand son chum est trop fatigué pour la voir... Pour le flash, t'as raison, par exemple. On verra rendues là-bas. On aura peut-être même pas besoin de photo.

Elle me fit son petit sourire mauvais et cette fois, je l'appréciai. Il pouvait faire des malheurs, ce sourire-là, et c'est justement ce que j'avais l'intention de faire, un malheur. Alors, je copiai son sourire et laissai la colère prendre le dessus sur tout le reste.

Vers neuf heures, nous sommes donc parties marcher, toutes les deux. J'aurais voulu aller au parc tout de suite. Nous aurions pu nous dissimuler quelque part, mais il ne faisait pas encore suffisamment noir et j'avais peur que Renaud nous surprenne. Nous avons donc fait quelques détours. J'essayais de ralentir le pas, mais j'y arrivais difficilement. Puis, enfin, un peu avant dix heures, nous sommes allées nous adosser à une petite colline, bien cachées mais avec une excellente vue sur la porte du pavillon de la piscine.

Je vis les dernières personnes partir et Renaud qui barrait la porte derrière eux. Je me dis que « Jo » ne devait pas être bien loin et mon cœur battait tellement fort que j'étais certaine que Renaud pourrait l'entendre s'il tendait le moindrement l'oreille. Dix heures quinze, rien. Une femme avec son chien, un vieux monsieur qui marchait lentement. Dix heures vingt-cinq. Là, je vis un gars arriver à pied. Il marchait vite, se dirigeait vers le pavillon. Était-il possible que je me sois trompée, après tout ? Camille me donna un coup de coude :

— Hey, je l'ai déjà vu, lui. Il était là quand on est allés manger au resto après la première *game*, tu te souviens ?

Puis elle ne dit plus rien, comme si elle réfléchissait aussi furieusement que moi. Elle sursauta et me dit:

— J'te gage que c'est lui qui vient rejoindre une fille ici! Renaud lui a juste laissé la place pour être tranquille avec sa blonde! Gages-tu que c'est bien ça?

— J'ai lu ce que j'ai lu, Cam!

— Es-tu sûre que c'était bien lui qui avait écrit? Peut-être que ce gars-là a écrit de l'ordi de Renaud? Ou la fille?

— Me semble que tu charries, ça se peut pas tellement.

Renaud ouvrit la porte, regarda aux alentours comme pour voir s'ils étaient surveillés et referma la porte derrière lui. Camille ne tenait plus en place.

— Viens, on va aller regarder par la fenêtre. Je suis sûre que quelqu'un d'autre va arriver ou que la fille est déjà là et que ça va tout expliquer!

— Ouain, je suis pas sûre. On peut surveiller ça d'ici, non?

— Pas si la fille est déjà là, non! Et on va mieux voir par la fenêtre. Et eux, ils pourront pas nous voir, d'en dedans...

Elle était déjà debout. Je ne voulais pas la suivre. Nous serions beaucoup trop visibles là, au bord de la fenêtre! Que dirions-nous s'ils nous voyaient? Le hasard ne tenait plus si nous avions le nez collé là! Il me fallait la rattraper et je partis la rejoindre. Elle était accroupie sous la fenêtre et m'attendait. En chuchotant, elle me dit:

— Y a un peu de lumière en dedans. Ils peuvent pas nous voir. T'es-tu game?

Non, je n'étais plus certaine de quoi que ce soit, mais c'était plus fort que moi et je m'élevai un tout petit peu, juste assez pour voir à l'intérieur. Et là, mes yeux refusèrent d'accepter ce qu'ils voyaient. L'évidence était là, sous mes yeux, mais ne s'enregistrait pas dans mon cerveau.

Renaud était là, appuyé au mur. Et devant lui, l'embrassant à pleine bouche en lui caressant les cheveux avec fougue tandis que les bras de Renaud l'enserraient passionnément, se trouvait le gars que nous avions vu arriver plus tôt.

Je voulais arrêter de regarder, mais c'était plus fort que moi: j'étais irrésistiblement attirée par la scène qui se jouait devant moi. Je voyais ces deux gars qui se caressaient. Leur désir était puissant, presque palpable, comme s'ils avaient attendu ce moment depuis longtemps. Leurs baisers étaient intenses, ils avaient l'air impatients et je devinais leur souffle court, leur besoin l'un de l'autre pressant. J'étais sonnée mais je ne pouvais empêcher mes yeux de constater que leur étreinte était tout aussi passionnée que si Renaud s'était trouvé avec moi, peut-être même plus. Il y avait une urgence que je n'avais jamais connue avec lui.

Camille aussi les regardait, totalement immobile, comme hypnotisée. Il y avait de la tendresse dans la façon dont ils se touchaient. Les mains qui se baladaient sur le corps de Renaud semblaient à la fois puissantes et douces, les baisers, fougueux. Renaud retira son chandail et l'autre fit de même. Je regardais leurs torses se mouler l'un à l'autre, la bouche de l'autre gars embrasser le cou de Renaud, ses mamelons, je voyais ses larges mains caresser ses épaules, comme s'il s'agrippait à lui. Renaud, lui, semblait s'abandonner à tout ça de la façon dont j'aurais aimé qu'il le fasse avec moi : les traits détendus, il semblait savourer chaque instant et vouloir le faire durer. Je le trouvais si beau... Son compagnon s'agenouilla devant lui, détacha son pantalon que Renaud fit descendre sur ses hanches. L'autre releva la tête un moment, comme s'il cherchait une approbation de la part de mon amoureux, et ce dernier lui sourit, un sourire si doux et empreint d'un tel désir que j'en fus incroyablement jalouse. Je vis la tête de l'autre descendre et compris que, dans sa bouche à lui, se trouvait la partie la plus intime de Renaud, celle que j'avais moi-même goûtée à peine quelques jours plus tôt. Sa tête se mouvait lentement, et je devinais la sensation du membre de celui que j'aimais tant, j'en connaissais l'odeur, la forme et la douceur. Renaud était appuyé contre le mur et caressait les cheveux de son amant, l'encourageant ainsi à continuer. Ses yeux étaient clos, il se mordait la lèvre inférieure comme si le plaisir était difficile à supporter. Cette expression aurait dû n'appartenir qu'à moi et ce n'est qu'à ce moment-là que je réalisai toute l'ampleur de ce qui se produisait.

Renaud se dégagea; ils s'embrassèrent de nouveau, semblant ressentir encore plus de passion. Puis, l'autre gars incita Renaud à se retourner face au mur et se colla tout contre lui. C'en était trop. Je n'étais pas obligée de regarder la suite… pourtant, encore une fois, je ne pus détacher mon regard. Et lorsque je vis Renaud se raidir, relever les bras de chaque côté de ses épaules comme pour prendre appui contre le mur, lorsque je pus le voir se tordre de plaisir sous l'assaut de son partenaire, je réalisai que plus rien ne pourrait être comme avant. Malgré la douceur et la complicité qu'ils semblaient partager, j'étais choquée, fâchée, blessée, et rien ne pourrait réparer ça.

Chapitre 13

Qui est Renaud?

Je ne me souviens même pas être retournée chez moi, seulement qu'à un moment, Camille m'a tirée vers l'arrière et je serais tombée sur les fesses si elle ne m'avait pas retenue. J'avais été à la fois fascinée par l'étonnante sensualité de ce que je voyais et révoltée. Camille aussi avait eu du mal à arracher son regard de ce qui se passait à l'intérieur du pavillon, mais finalement, c'était devenu aussi intolérable pour elle que pour moi. J'avais l'impression d'avoir été trop indiscrète, d'en avoir beaucoup trop vu, mais en même temps, je savais que je ne l'aurais peut-être pas totalement cru si je n'en avais pas vu autant.

Je marchais comme une somnambule. Camille devait être à mes côtés, mais je ne m'en rendais pas vraiment compte. Je sais seulement que je me suis retrouvée dans ma chambre.

Je me sentais comme si on m'avait donné un énorme coup de batte de baseball à la tête. Assommée. L'image de Renaud avec l'autre gars s'imposait derrière mes yeux et je ne pouvais pas la chasser même si je le voulais désespérément. Je ne pleurais pas; je ne faisais que répéter en marchant: « Non, ça se peut pas, c'est pas vrai » inlassablement comme un enregistrement débile. Je les voyais s'embrasser et j'étais comme une statue: froide en dedans comme en dehors. Je m'étais attendue à tout. Vraiment à tout, sauf à ça.

Au bout d'un moment, alors que j'étais affaissée sur le sol de ma chambre, la voix de Camille m'a enfin réveillée:

— J'en reviens pas, j'en reviens juste pas. Comment ça se fait qu'on ait rien vu venir, qu'on a pas deviné avant?

Comme au ralenti, une explosion a eu lieu dans ma tête. J'ai eu une incroyable nausée et cru que j'allais vomir. Je me suis penchée au-dessus de ma poubelle, mais rien ne sortait. Mes intestins se tordaient douloureusement sans soulagement. Camille a essayé de me prendre dans ses bras, mais je l'ai repoussée. Elle m'a regardée et m'a demandé:

— Comment tu te sens?

Une vague se brisa:

— Comment tu penses que je me sens? Je l'sais pas comment je me sens! Mon chum est gai! Il me trompe, et pas avec une fille, avec un GARS!!!

— Excuse-moi, c'était con comme question...

— Oui, pas mal!

J'expirai. J'avais l'impression d'avoir retenu mon souffle pendant des heures. Je tremblais. Tout se mélangeait dans ma tête et j'essayai d'y mettre de l'ordre :

— Je sais pas, Camille. J'ai l'impression que ça aurait été moins pire si ça avait été avec une fille. Je sais pas pourquoi. J'aurais été vraiment fâchée, mais au moins, j'aurais un peu mieux compris. Mais là ? Ça veut dire que tout le temps qu'on a été ensemble, c'était juste une joke ? Ça voulait rien dire ? Quoi, il se servait de moi pour cacher à tout le monde ce qu'il était vraiment ? Dire que toutes les fois où il les écœurait, les autres, les traitant de fifs et de tout ce que tu veux, tout ce temps-là, c'est lui qui l'était !!!

— Renaud, une tapette, et il m'a jamais rien dit ! Penses-tu que ça serait possible qu'il l'ait pas vraiment su lui-même ?

— Bin voyons donc ! Ça veut-tu dire que je l'ai tellement déçu qu'il a décidé que les filles, c'était trop compliqué ?

— Dis pas ça, Caro ! C'est pas toi qui as le problème, c'est lui ! Pis je pense pas qu'il a décidé d'être de même… Peut-être même qu'il espérait que ça pourrait changer avec toi, que tu l'aurais guéri, genre ?

— J'sais pas, j'sais rien !!!

— Hey, t'imagines-tu comment son père va capoter quand ça va se savoir ?

— Camille, tu vas pas lui dire!

— Bin non, là! Mais tu sais bin que tout se sait, ici!

— Ouain, mais c'est pas à nous autres de raconter une affaire de même. C'est heavy... Peut-être que c'était juste un trip? Qu'il voulait savoir comment c'était? Ça se peut, ça, non?

— Oui, j'imagine. Mais si y se rend compte que c'est vraiment ça qu'il veut?

— Bin là, ça veut dire que je suis vraiment épaisse, qu'il m'a eue d'aplomb!

— Pas juste toi. Moi aussi, pis tout le monde...

C'est ce moment que ma mère choisit pour venir voir ce qui se passait. Je me rendis compte que nous n'avions pas été totalement discrètes depuis notre retour. Elle frappa à la porte de ma chambre et, me voyant tout échevelée et les yeux pleins d'eau, s'inquiéta. Je tentai de la rassurer pour qu'elle s'en aille au plus vite:

— C'est beau, maman, ça va...

— Tu pleures, ma chouette! Qu'est-ce qui se passe?

— Oh, c'est rien, juste une chicane avec Renaud, pis je suis dans ma semaine, j'braille pour rien...

Elle me scruta et je sus qu'elle ne me croyait pas. Je voulais juste qu'elle parte et elle eut l'air de comprendre:

— Tout le monde s'en va. Je vais être en arrière si tu veux me parler tantôt...

Je la regardai et mes yeux se remplirent d'eau. Maudite inondation! Je me forçai à sourire et regardai Camille. Ma mère partit en m'envoyant le plus doux des sourires, celui qui me fait à la fois enrager et réaliser qu'elle me comprend et me devine bien plus que je le voudrais.

Je me sentais épuisée et j'avais besoin de temps pour essayer de me remettre les idées en place. Camille me regarda en ayant l'air de s'attendre à ce que je dise quelque chose, mais rien ne venait. Trop de questions, trop de déception, trop d'émotions, trop de tout. J'appréciais qu'elle soit là, mais je voulais qu'elle s'en aille, elle aussi. Je me sentais blessée, mélangée, démolie, et j'avais besoin de lécher mes blessures, comme un vieux chien. Elle me tira la couette gauche du toupet, me regarda et conclut:

— On va penser à tout ça tranquilles et on se reparlera demain, OK? On saura peut-être plus quoi faire...

Ouf. Elle avait compris.

* * *

Je restai dans ma chambre environ une heure à me poser toutes sortes de questions comme: « Comment Renaud réagirait-il quand il saurait que je savais?», «Comment je vais lui dire?» ou «Est-ce que je vais réussir à le regarder en face sans que toutes ces images maudites reviennent m'étouffer?» Je me sentais bizarre. Mon cœur battait trop vite, j'avais le souffle court comme si je venais de courir un marathon et je n'arrivais pas à me calmer et à respirer normalement. Je me disais que je serais incapable de dormir pendant au moins cent ans. C'était à peu près le temps dont je pensais avoir besoin pour comprendre tout ça et, surtout, accepter. Comment étais-je supposée réagir? Je repensais à toutes les fois qu'il m'avait dit qu'il n'y avait pas d'autre fille dans sa vie. C'était peut-être vrai, finalement! Quelle ironie, quand même! Aurait-il fallu que je lui demande quel gars il avait dans sa vie? Est-ce que j'aurais pu deviner? Surtout, je n'arrivais pas à déterminer s'il était pire de savoir qu'il me trompait ou d'accepter que, même s'il prétendait que j'étais la seule fille qu'il n'ait jamais aimée, je n'avais probablement aucun espoir d'être avec lui. Il me semblait que je ne trouverais jamais de réponse à ça.

Je sortis prendre l'air et, comme je m'y attendais, je vis ma mère confortablement installée dans la vieille balançoire. Je n'avais pas prévu lui parler de ce qui se passait, pas maintenant, mais en la voyant là, je compris qu'elle, sans doute mieux que quiconque, pouvait m'aider à trouver un sens à tout ça.

Je me laissai tomber près d'elle et mis ma tête sur ses cuisses, comme quand j'étais toute petite. Je restai silencieuse un moment, puis je lui racontai tout ce qui débordait de mon cœur encore une fois. Tout, à partir du moment où j'avais lu la conversation sur l'ordinateur de Renaud jusqu'à ce qui s'était passé au parc.

À son tour elle resta muette un moment et je doutai, finalement, qu'elle puisse faire quoi que ce soit. Après quelques minutes, elle me dit :

— Ouf, tu dois être mélangée pas à peu près !

— Mettons !

— Il me semble que ça explique quelques petites choses... comme son agressivité, son intolérance, ses colères fréquentes. Ça doit pas être facile pour lui de faire face à ça et j'imagine qu'il pouvait pas se le cacher plus longtemps.

— Pas facile pour lui ? Pis pour moi, hein ? C'est facile, je suppose ?

— Non, c'est pas ce que je dis. Mais c'est lui qui va devoir vivre avec cette réalité-là, choisir s'il le dit ouvertement ou s'il se cache pour le reste de sa vie. C'est pas évident...

— Bin, c'est son problème !

— Oui, justement, mais je suis sûre d'une chose, c'est qu'il a pas choisi ça. Personne choisit d'être différent, à moins que ce soit pour être cool ou se faire remarquer. Choisir un style différent de vêtement ou de cheveux, c'est une chose, c'est valorisé. Être gai, malheureusement, ça l'est pas tellement!

— Bin justement, y a juste à pas l'être, c'est tout!

— Ah! Bien oui, c'est aussi simple que ça. Voyons, Carolanne, tu sais bien que c'est pas un choix, c'est comme ça, c'est tout! Après, faut qu'il choisisse s'il fait semblant d'être comme tout le monde et reste malheureux jusqu'à la fin de ses jours, ou s'il s'expose à se faire harceler et ridiculiser par tous ceux qui comprennent pas ou qui ont peur, ce qui est malheureusement le cas de beaucoup de personnes, encore aujourd'hui, à commencer par son père!

— Bin là, c'est son père, quand même, y a pas bin l'choix d'accepter si Renaud y dit…

— Oui, comme toi tu l'acceptes, hein?

— Ouain. Mais c'est sa vie, pas celle de son père.

J'ajoutai, comprenant enfin où elle voulait en venir:

— Et pas la mienne non plus… Mais maman, il m'a menti pendant tout ce temps!

— Je pense pas, Caro. Je ne connais pas beaucoup Renaud, mais quand même assez pour penser qu'il a peut-être espéré que ça «passe», que ça marche assez bien avec toi pour oublier tout le reste à un moment donné.

— On dirait que j'ai pas réussi, hein? Faut croire que je l'ai vraiment dégoûté!

— Arrête, tu peux pas prendre ça personnellement. Je mettrais ma main au feu que personne n'aurait pu changer quoi que ce soit. Mais une chose est certaine : si t'es incapable de l'aider là-dedans, au moins, ne va pas lui nuire. S'il ne veut pas en parler pour le moment, c'est pas à toi de le faire. Tu pourrais vraiment gâcher sa vie. S'il décide d'en parler, de faire son *coming out*, il faut que ça vienne de lui, qu'il le fasse à sa façon, à son rythme et au moment qu'il juge le meilleur. C'est pas une blague, Caro, c'est pas le genre d'affaires à ébruiter de même, pour commérer. Tu me comprends ?

Oui, je comprenais très bien, et j'étais de toute manière encore beaucoup trop secouée et mélangée pour me mêler de ça. Elle ajouta :

— Ce qu'il vit est pire que toi, j'aimerais que tu essaies de le comprendre. Je dis pas que c'est facile, que tu souffres pas, non. T'as un deuil à faire, je pense, d'une relation amoureuse avec lui. Mais dis-toi que pour lui, c'est pas mal plus gros. Et si tu choisis d'essayer de l'aider, la première chose à faire, c'est de lui faire comprendre que c'est probablement de là que viennent beaucoup de sa colère et son agressivité… Je suis pas psy, je peux pas être sûre à cent pour cent, mais je pense que c'est une réaction assez classique et que refouler des choses aussi fondamentales, ça peut pas faire autrement que nous mélanger et nous mettre à l'envers, surtout si c'est difficile à accepter. Je ne suis pas sûre qu'il va le comprendre ou l'admettre, mais il devrait aller chercher de l'aide. Si tu veux, je peux m'informer. Je sais qu'il y a des intervenants quelque part qui peuvent l'aider. Francesca en connaît quand même un bout là-dessus, elle côtoie ces personnes chaque jour depuis qu'elle est bénévole au centre d'écoute.

Je trouvais que c'était une bonne idée. Restait à voir comment je pourrais parler à Renaud, s'il me serait possible de lui dire tout ça en mettant ma déception, ma peine et ma colère de côté. Une chose était certaine : je n'allais pas dévoiler son secret à qui que ce soit et j'allais expliquer à Camille qu'elle ne le devait pas, elle non plus.

Serait-elle capable, pour une fois, de ne pas en faire qu'à sa tête ?

Chapitre 14

Camille fait des siennes

Je ne dormis à peu près pas cette nuit-là. Je revoyais en boucle les images qui m'avaient tant choquée et je n'arrivais tout simplement pas à penser à autre chose. Je les voyais s'embrasser, se caresser et, malgré moi, ça me choquait. Il était clair que Renaud avait aimé cette « expérience », si c'était bien de ça qu'il s'agissait. Peut-être qu'après tout, il faisait ce genre de choses depuis longtemps et que j'avais été trop idiote pour m'en rendre compte. Je comprenais ce que ma mère m'avait souvent répété, que ce que deux hommes ou deux femmes faisaient entre eux n'était pas plus dégueulasse que lorsqu'il s'agissait d'un gars et d'une fille, mais je n'y pouvais rien, chaque fois que je revoyais Renaud et surtout à quel point il avait eu l'air excité, ça me levait le cœur. C'était incroyablement difficile de digérer tout ça.

J'étais étonnée de réaliser que j'aimais encore Renaud malgré tout. À un certain point, j'ai même envisagé de faire comme si je n'avais rien vu et de voir s'il continuerait à prétendre que tout était normal entre nous. Je me demandais si j'arriverais, à force de patience, de gentillesse et d'amour, à le faire « tourner de bord ». Rationnellement, je savais que c'était stupide, que je n'avais aucun pouvoir là-dessus et que m'obstiner ne ferait que me faire souffrir pendant très longtemps pour rien. Sauf que la têtue que j'étais — et celle qui obtenait toujours, du moins jusqu'à tout récemment, ce qu'elle voulait — ne pouvait s'empêcher de se dire que tant qu'il y a de la vie il y a de l'espoir. Justement, je croyais mon amour pour lui bien assez fort. Par contre, la pensée qu'il me touche, qu'il me fasse l'amour après qu'il ait... qu'il ait... Non ! C'était insupportable.

Et puis, il y avait l'épisode de Cassandra que je n'arrivais toujours pas à oublier. Si Renaud était gai, pourquoi avait-il ressenti le besoin de coucher avec elle ? C'était la seule fille, à ma connaissance, avec qui il avait fait ça à part moi. Pourquoi ? Ça n'avait aucun sens. Je n'étais plus du tout certaine que la théorie qui voulait qu'il soit allé « pratiquer » avec elle soit valable. Je n'arrivais pas à la faire cadrer dans le portrait, elle ne « fittait » tout simplement pas. Je devrais en parler à Renaud, de ça aussi, question de savoir si cette expérience avait contribué au reste...

Je devais également admettre qu'il y avait plus. Une des choses qui me faisaient revenir sur terre était l'inconfort que je ressentais en pensant à ce que tout le monde dirait lorsque la nouvelle se propagerait, si elle se propageait un jour: que j'avais été celle qui s'était fait niaiser, que Renaud m'avait utilisée pour cacher ce qu'il était vraiment, celle qui avait été trop niaiseuse pour se rendre compte de ce qui se passait, ou celle qui — et je détestais penser à ça, mais je n'y pouvais rien — celle qui avait été tellement mauvaise au lit, encore pire que Cassandra, qu'elle avait rendu son chum gai. C'était tout à fait ridicule et j'en étais bien consciente, mais on ne contrôle pas ce à quoi on pense et encore moins ce que les autres disent, j'en connaissais un bout à ce sujet! Peut-être qu'il me fallait admettre enfin que certaines choses ne se passaient pas toujours à ma façon, que je ne pouvais pas nécessairement rallier tout le monde à ce que je voulais. Je venais de frapper un mur, et un solide. Il ne me restait plus qu'à parler à Renaud.

À huit heures, ce dimanche matin, j'étais totalement éveillée et ne savais pas trop si j'avais réellement dormi ou non. Je décidai donc de me lever et d'aller rejoindre celui que je devrais dorénavant appeler mon ex à son entraînement. Le miroir me renvoya l'image d'une fille poquée, cernée, au regard vide. Il me serait impossible de faire croire à Renaud que tout allait bien, et c'était peut-être une bonne chose. Il était temps pour moi d'arrêter de faire semblant que j'avais le contrôle sur tout et tout le monde. Je l'avais trop fait.

* * *

Quand Renaud me vit arriver au parc, il afficha un air étonné. Normal ! Je ne suis JAMAIS debout aussi tôt un dimanche, vacances ou pas. Il ne pouvait pas venir me parler, mais ce n'était pas grave; je me contentai de le regarder s'entraîner. J'imagine que le deuil dont ma mère avait parlé débutait réellement. Mes yeux coulaient et je les laissais faire. Je pleurais sur ce qui ne serait plus, ne pourrait plus être; je pleurais sur les bons moments que nous avions passés ensemble, et sur les moins bons, aussi.

La pratique se termina enfin et il vint me voir, me demandant ce que je faisais là.

— Faudrait qu'on se parle, Renaud. Est-ce que t'es occupé ?

— Laisse-moi juste aller à la maison prendre une douche. Je travaille à 4 heures, mais d'ici là j'ai rien de prévu. Je voulais t'appeler, justement…

Nous avons marché en silence jusque chez lui. Quand il m'a pris la main, je n'ai pas refusé, et des larmes fraîches ont rempli mes yeux, bien cachés derrière mes lunettes. Je ne reniflais pas trop, c'était déjà un exploit, et je l'ai attendu dans la cour arrière pendant qu'il se douchait. Sa mère me salua et m'offrit du jus que je refusai poliment. Son père tondait le gazon et m'ignorait à peu près, ce qui me convenait bien. Un message de Camille me parvint sur mon téléphone. Elle allait au centre commercial avec Aurélie et Viviane et voulait savoir si j'avais envie de me joindre à elles. Je choisis de ne pas répondre, car ce que j'avais à faire était bien plus important. Je me demandai comment les parents de Renaud réagiraient s'ils savaient. Sa mère, j'en étais certaine, serait sans doute bouleversée, mais elle comprendrait et finirait par l'accepter tôt ou tard. Elle aimait tant son petit garçon que je crois qu'elle lui aurait tout pardonné, même ça.

Son père, c'était une autre histoire. Il était facile d'imaginer qu'il deviendrait complètement fou. Ma mère avait probablement raison quand elle disait que l'homophobie était souvent héritée des parents, et compte tenu de l'attitude générale du père de Renaud, je n'aurais pas été étonnée qu'il ait transmis ça à son fils... Cependant, si Renaud était homophobe parce qu'il refusait d'admettre qu'il était lui-même gai, pour son père et beaucoup d'autres comme lui, c'était comme une insulte à leur propre masculinité ou même, stupidement selon moi, une menace. Comme si les homos de la terre allaient tout envahir et essayer de convertir tous les humains. Cette pensée me fit sourire. Je vis dans ma tête une masse humaine incroyable, des millions de gais et de lesbiennes entrer dans les maisons et menacer les habitants de se convertir sous peine de se faire exterminer. Bon film! Je n'étais pas certaine que Renaud partagerait mon sens de l'humour.

Je le vis sortir de la maison et je le trouvai si beau que j'eus encore envie de pleurer. Je me retins de peine et de misère. C'était bien assez de larmes pour tout de suite!

Il me regardait bizarrement, comme s'il attendait que je dise quelque chose. J'avais bien annoncé qu'il fallait qu'on parle, mais il n'avait pas la moindre idée de ce qui l'attendait. J'hésitais, incertaine de la façon dont j'allais aborder le sujet. Étrangement, je me sentais calme, un peu détachée. Pourtant, le manque de sommeil aurait dû me rendre nerveuse, irritable et confuse, mais ce n'était pas le cas. J'avais la nette impression que je me souviendrais de ce jour pendant très, très longtemps.

Renaud me demanda ce que j'avais envie de faire et je lui répondis que je voulais aller quelque part de tranquille où nous pourrions parler. Je crus déceler un petit mouvement d'impatience. Sans doute croyait-il que j'avais quelque récrimination à lui faire, que je mijotais une autre petite crise de jalousie, mais il ne dit rien et me suivit jusqu'au parc.

Nous nous sommes installés sous notre gros

chêne favori, loin des sentiers et de toute éventuelle interruption. Collée contre lui, je suis restée là, tranquille, à savourer ce dernier moment de calme et de bonheur avant que tout bascule. Avant que moi, je fasse tout basculer… J'avais pourtant seulement vu ce que je n'étais pas censée voir. Je débutai en toute innocence:

— Tu t'es bien reposé hier soir?

— Oh, oui, j'en avais vraiment besoin.

— T'es retourné chez toi après avoir fermé à la piscine?

— Bin oui, c'est ça que je t'avais dit, non? Tu me surveilles encore?

Il était nettement plus agressif. Déjà.

— Non, j'te surveille pas, Renaud. J'te fais confiance. Tu m'as dit souvent qu'il y avait pas d'autre fille dans ta vie, j'te crois, maintenant.

Il poussa un soupir et je conclus que ce devait être du soulagement. Je compris que cette conversation serait peut-être la dernière que nous aurions pour un bon bout de temps, alors je décidai, avant d'entrer dans le vif du sujet, de clarifier l'autre chose qui me harcelait vraiment et qui m'était aussi revenue en tête beaucoup trop souvent la nuit précédente.

— Je t'avais dit que je te ferais plus de crises de jalousie, Renaud, et j'en ferai pas. Mais y a tellement de choses que j'ai de la misère à comprendre…

— De quoi tu parles? J'te suis pas, là.

— J'arrête pas de penser à nous deux, à plein d'affaires. Je reviens pas sur le passé, c'est fini et pardonné, mais il faut que je comprenne quelque chose. Pourquoi la seule autre fille avec qui t'a couché, c'est Cassandra? Pourquoi y a fallu que tu couches avec elle, moi qui voulais tant être la première pour toi comme tu l'as été pour moi?

— Cassandra? Ah, c'est même pas arrivé.

J'avais dû mal entendre.

— Quoi, qu'est-ce qui est pas arrivé?

— J'ai même pas couché avec. C'était juste une gageure avec les gars, c'était juste une joke.

Une joke. J'étais encore une fois assommée. Une joke? Il trouvait ça drôle? Je n'en croyais pas mes oreilles. Moi qui m'étais torturée pendant des semaines! Moi qui avais finalement pompé tout mon courage pour lui pardonner, à lui, quelque chose qu'il n'avait jamais fait! En un éclair, je repensai à tout ce que nous lui avions fait subir, à elle, tout ce que tout le monde lui avait fait endurer. Pour une joke! J'explosai.

— Renaud, as-tu au moins une idée à quel point ta «joke» a tout fucké dans sa vie?

Je me sentais mal, j'avais la nausée, encore. Nous avions condamné cette fille qui n'avait rien fait, nous l'avions fait souffrir, l'avions harcelée, torturée. Tout le monde de l'école avait fait de même, grâce à notre influence dont nous étions si fières, sans que nous ayons pris la peine de vérifier si elle disait la vérité. J'étais secouée comme dans un tourbillon d'images dégueulasses, les pires représentant mon sourire méchant et celui de Camille tandis que nous planifiions notre vengeance. Cassandra. Sa douleur à elle, son désespoir. Je fis encore des efforts incroyables pour contenir ma colère, car cette révélation ne rendait que plus urgente ma confrontation avec Renaud pour l'autre sujet du jour. Un autre mensonge. Combien y en avait-il eu ? J'avais envie de crier, mais je réussis à continuer calmement.

— Renaud, c'est dégueulasse, c'que t'as fait. T'as pas vu tout ce qu'elle a été obligée d'endurer après ? T'aurais pu le dire que c'était une joke, une joke vraiment conne !

— Bin oui ! J'aurais eu l'air d'un menteur, pis y aurait fallu que je redonne le *cash* aux gars. Je l'avais déjà dépensé.

Il devenait vraiment de plus en plus crétin. Je n'en croyais pas mes oreilles. Je l'aimais, moi, ce gars-là ? Noooooon. Il aurait eu l'air d'un menteur... Mais il en était un de la pire espèce ! Bon, encore une fois, je tentai de revenir au sujet délicat.

— Bon, y a-tu d'autre chose comme ça que tu me dis pas ?

Je voulais lui laisser une chance, mais il ne l'a pas prise.

— Ah, arrête. Tu recommences, là.

— Je recommence rien du tout. Je sais que t'étais avec quelqu'un hier soir. J'étais toute seule, c'était plate. J'ai eu envie de prendre une marche, de te rejoindre à la piscine et peut-être de marcher jusque chez vous avec toi.

— Hier soir ?

Il fit une pause et j'aurais juré le voir réfléchir à toute allure. Il poursuivit, la voix tout à fait normale :

— Ah bin oui, c'est vrai, y a Jonathan, le frère de Damien, dans l'équipe, qui est passé…

— Juste de même, par hasard ?

— Bin oui, j'imagine, je sais pas, moi !

— Renaud, tu peux arrêter de faire semblant. Je vous ai vus, ensemble.

Il se leva comme si la foudre l'avait frappé.

— Qu'est-ce que tu veux dire, tu nous as vus, « ensemble » ?

Il était tout rouge, avait l'air furieux, les poings serrés. Il ajouta :

— Es-tu en train de dire que tu m'as espionné ?

— Bon, la meilleure défense, c'est l'attaque, encore. Je t'ai pas espionné, Renaud. Je suis ta blonde, en tout cas, je pensais que je l'étais. J'étais venue te voir parce que je m'ennuyais. Et je vous ai vus. J'ai tout vu.

— Tu capotes ! Non, mais j'ai-tu l'air d'un fif, moi ? T'es folle, t'hallucines !

Je me levai à mon tour et le regardai dans les yeux.

— Non, j'hallucine pas, arrête ! C'est quoi, ton problème ? J't'ai vu, Renaud, pis t'avais pas l'air de te défendre pantoute ! Tu me mens en pleine face ? Tu me prends pour qui ? Je suis pas venue ici pour me faire gueuler après ! Je suis venue te parler pour que tu saches que je sais ce qui se passe pis que même si ça me fait mal à mourir, j'veux t'aider, je suis de ton bord. Si c'est ça que tu vis pis que ça te rend agressif de même, faut que tu fasses quelque chose !

— Je suis pas gai ! J'ai pas besoin d'aide, et surtout pas de toi ! Ce que je fais, ça me regarde juste moi, pis ce qui se passe dans ta petite tête fuckée, c'est ton problème, pas le mien ! Tu te fais encore des histoires, mais des histoires de malades !

Il s'était approché de moi et me serrait les épaules. Il m'appuya trop fort contre l'arbre et me regarda avec des yeux qui me transpercèrent avant de conclure :

— Pis si jamais tu racontes tes histoires de fous à quelqu'un, j'te tue !

Sur ces derniers mots, il partit à grandes enjambées, me laissant sans souffle. Dans son regard, j'avais vu tellement de choses contradictoires: douleur, peur, colère, désespoir. Je n'aurais jamais cru qu'un seul être humain puisse dégager autant de choses à la fois, et en une toute petite fraction de seconde.

Je tremblais de tous mes membres. J'avais cru, à un certain moment, qu'il allait me frapper. Il m'avait menacée de me tuer. Il n'était vraisemblablement pas prêt à admettre quoi que ce soit, même pas à moi. « *Oh boy,* il est pas sorti du bois », me dis-je. Ce n'était pourtant encore rien.

* * *

C'est en ouvrant ma page Facebook, de retour à la maison après être allée marcher un bon moment, que je me suis rendu compte que les choses prendraient une tournure encore bien pire. J'avais eu l'intention de me changer les idées, de prendre une pause avant de réfléchir à ce que je devais faire au sujet de Renaud, et aussi de Cassandra. Dans les deux cas, il fallait que j'agisse, mais je ne savais vraiment pas de quelle façon. J'ignorais comment atteindre Renaud, comment lui pardonner ce qu'il venait de bouleverser dans nos vies, mais aussi ce qu'il avait fait subir à Cassandra, ce que nous lui avions fait subir. Je me demandais surtout comment me pardonner à moi-même, en ce qui la concernait.

J'avais beau me dire que Camille en avait fait plus que moi, je ne l'en avais pas empêchée, et même si j'avais songé à vérifier à quel point Cassandra était réellement fautive, je ne l'avais pas fait. J'étais aussi coupable que Camille et que Renaud, et c'était épouvantable de le réaliser. Le désagréable sentiment de honte que j'avais déjà éprouvé par rapport à Cassandra, à Ricardo et à d'autres, ce sentiment nouveau pour moi se manifestait à nouveau, mais cent fois, mille fois plus fort. J'aurais été incapable de me regarder dans un miroir, même que je me demandais si je n'en serais jamais capable à nouveau.

Pour Renaud, j'avais peur. Il était manifestement perturbé. Il continuait à nier, et tout ça m'inquiétait maintenant bien plus que ça me blessait. J'étais troublée et avais sérieusement besoin de distraction. Cependant, dès que j'ouvris ma page Facebook et lus tous les messages en attente qui y figuraient, je paniquai. C'étaient des messages de « sympathie » de mes amies qui disaient à peu près toutes la même chose: « Pôv chouette! C'est épouvantable! Qui aurait cru, hein? Pas possible! On est avec toi... et t'en fais pas, ça reste entre nous! »

Entre nous, vraiment. Elles voulaient plutôt dire entre nous et la terre entière! Je compris évidemment que Camille avait été incapable de garder ça pour elle. Et moi qui avais fait bien attention de ne pas dire à Renaud qu'elle était avec moi la veille parce que je voulais la protéger… Lorsque tout le village connaîtrait l'histoire, ce qui était peut-être même déjà le cas, Renaud allait penser que c'était ma faute.

Je pouvais trop bien imaginer ce qui avait dû se passer. Pendant que j'étais au parc en train d'essayer de parler à Renaud, Camille, elle, était allée au centre commercial avec Aurélie et son amie Viviane. Je regrettais maintenant de ne pas les avoir accompagnées, autant parce que ça aurait été plus amusant, mais aussi parce que j'aurais sans doute pu l'empêcher de propager la nouvelle. Camille n'avait peut-être pas eu l'intention de tout leur raconter, mais sa nature avait pris le dessus apparemment. Elle avait dû flancher au premier prétexte et tout leur dire en leur faisant promettre de ne rien dévoiler à personne. Si on ne peut pas se fier à ses amies pour des choses de ce genre, je me demande bien à qui on peut se fier! Et ça donnait la catastrophe que j'avais sous les yeux.

La suite était prévisible: en moins de temps qu'il en faut pour choisir et acheter une paire de sandales, Aurélie l'avait dit à deux autres de ses amies dès son retour à la maison, et Viviane, la même chose. Les amies l'ont dit à au moins deux autres de leurs amis qui l'ont dit sans doute à... tout le village. Je repensai à Cassandra, à la rapidité et à la violence avec laquelle les pires rumeurs peuvent se propager, et je voulus mourir.

Évidemment, mon souhait allait sans doute être exaucé: Renaud allait me tuer. Mais avant, même si c'était la dernière chose que je pouvais faire de mon vivant, j'allais avoir une petite conversation avec ma chère amie Camille.

Chapitre 15

Bye-bye, Camille

Je m'étais rendue sans attendre chez Camille, espérant la trouver chez elle. Ce que j'avais à lui dire ne pouvait pas être tapé sur un clavier d'ordinateur; il m'aurait été impossible de lui dire exactement ma façon de penser comme ça et encore moins de la lui montrer. Elle était dehors et me sourit en me voyant arriver. Elle ne sourirait pas pour longtemps. Je pédalais à fond et ne pris même pas la peine de m'arrêter complètement avant de descendre de mon vélo. Je l'attaquai immédiatement.

— T'es malade? Pourquoi t'as raconté ça? Et à qui? Ça a même pas d'importance parce que tout le monde a l'air de le savoir! T'as pas pu te retenir, hein? Y avait un potin juteux que personne d'autre savait, y a juste fallu que tu t'ouvres la trappe, hein?

Elle eut un mouvement de recul, étonnée. Puis, elle redevint elle-même et m'attaqua à son tour.

— Bin là! Je l'ai juste dit à Aurélie pis Viviane. C'est pas comme si j'avais passé une annonce dans l'journal!

— Bin non! Ça aurait eu le même effet, pis tu l'sais!

— J'voulais juste pas que tout le monde rie de toi. Si j'avais pas expliqué ce qui se passait en premier, avant que la nouvelle se sache toute croche, tu serais devenue la fille qui non seulement se fait tromper par son chum, mais par un gars en plus. Y en a même qui auraient pensé que tu l'savais avant pis que tu faisais rien ou pire, que Renaud est aux deux et toi aussi. Tu pensais quand même pas que ça se saurait pas? Je savais que t'aimais mieux attendre que ça finisse par se savoir autrement faque j'm'en suis occupée, c'est tout.

— Pourquoi y auraient ri de moi, Camille? Y a rien de drôle là-dedans, j'y suis pour rien, et Renaud est assez fucké de même. Tu penses pas que peut-être il voulait pas que ça se sache, ou pas tout de suite ni de même? Pour qui tu te prends de décider de la vie des autres? Ça te regarde comment, au juste?

— Ça me regarde parce que depuis le temps qu'on est supposément amis, il m'a toujours menti, fait accroire qu'il était normal, comme tout l'monde. Je l'prends pas!

— Tu l'prends pas? Ça te tenterait pas, juste deux minutes, d'arrêter de penser à toi pis de te demander un peu comment les autres peuvent se sentir? Réalises-tu que tu viens peut-être de lui gâcher la vie complètement? T'imagines-tu ce que ça va faire dans sa famille pis dans tout le village?

— Oh, arrête de dramatiser. L'école recommence bientôt, et c'est quand même pas tout le monde qui va le savoir, et ceux qui le savent s'en rappelleront plus d'ici deux semaines, y va arriver d'autre chose de plus excitant. De toute façon, c'était à lui à y penser avant. C'est son problème, y a juste à pas triper sur les gars, c'est tout!

— Tu penses vraiment qu'il fait exprès?

Mon Dieu, je sonnais comme ma mère, mais je trouvais Camille tellement bornée que j'avais honte d'avoir tenu à peu près les mêmes propos qu'elle seulement quelques heures auparavant même si ça me semblait un siècle. On aurait dit qu'un rideau venait de se lever et que je voyais Camille comme elle était réellement pour la première fois de ma vie: égoïste, superficielle, *bitch*. J'en profitai pour ajouter:

— Ouain, bin y a pas juste à ce sujet-là qu'il t'a pas tout dit, imagine-toi donc. T'sais Cassandra? Bin, y avait même pas couché avec elle. C'était juste une gageure avec ses chums. C'est con, hein? Pis toi, bin, ça t'a pas pris deux minutes pour la condamner et t'assurer que tout le monde se mette contre elle parce que t'étais pas d'accord avec ce qu'elle avait supposément fait même si c'était pas vrai!

— T'es pas mieux que moi, t'en as fait autant!

—Oui, pis je m'haïs pour ça. J'm'haïs aussi pour les fois où je t'ai dit qu'on devrait peut-être essayer d'en savoir plus et que je t'ai écoutée, j'ai laissé faire. Je sais pas pourquoi j'ai fait ça plutôt que de me faire confiance. J'ai toujours fait ça et ça m'écœure. Mais là, c'est fini. Compte plus sur moi pour être ton petit chien qui est toujours d'accord avec toi. T'es aussi menteuse que Renaud, t'es aussi croche, tu manipules tout le monde, pis ça te fait du bien d'écraser les autres. Bin moi, non, finalement. Y est un peu tard pour que je m'en rende compte, mais tu peux être sûre que si j'arrive un jour à m'excuser à Cassandra, je vais m'excuser pour toi aussi parce que tu fais pas mal pitié d'être de même, au fond, pis je sais pas comment tu fais pour te regarder dans un miroir sans avoir envie de vomir. Et Renaud, tu peux être sûre qu'il va le savoir, que c'est toi qui as fait toute la marde.

Elle me regarda avec un profond air de dédain au visage. Elle reprit tout son aplomb d'un seul coup et me toisa, cherchant quelque chose de vraiment méchant à me dire. Elle pensa trouver :

— C'est ça, Miss Parfaite. Va brailler à Cassandra pis à ta mère que j'suis la méchante. Ta mère aussi parfaite que toi, « Brigitte qui vend vite ». J'comprends, là, que ça te dérange pas tant que ça, l'histoire de Renaud. T'es habituée avec les gais. Ta mère doit en être une comme sa chum ! Je serais pas surprise que t'en sois une toi aussi !

N'importe quoi. Et voilà une amitié supposément indestructible qui se terminait. J'avais tout de même une dernière chose à lui dire:

— Là, j'm'en vas à la piscine voir les dégâts que t'as faits et avertir Renaud si y est pas trop tard. À ta place, j'me pousserais ou j'me trouverais une maudite bonne excuse parce que crois-moi, il va le savoir, que c'est de ta faute si tout le monde le sait. Penses-tu que les gars de son équipe de foot vont laisser passer ça de même?

— Ils le sauront pas. Quand même, sont pas connes, Aurélie et Viviane.

— Ah, vraiment? T'es encore plus épaisse que je pensais. J'avais douze messages sur mon Facebook, Camille. Douze. À l'heure qu'il est, je suis sûre que tout le monde le sait. Pis si Renaud se fait tellement écœurer qu'il est obligé de lâcher le foot ou quelque chose du genre, ça va être de ta faute.

— Voyons, tu charries. C'est pas si pire que ça. On est pus en 1950, quand même! Tout le monde s'en fout, qu'il soit gai ou pas.

— Ah oui? T'as une drôle de manière de t'en foutre, toi, en tout cas! Pis on verra bien si je charrie ou pas. Moi, je suis pas sûre que tout le monde s'en fout. Oh, que je suis pas sûre de ça...

* * *

Comme la veille, la piscine était bondée. Il est vrai que dans notre village, c'est probablement la seule chose à faire par une belle journée de vacances, mais il y avait vraiment beaucoup de monde. Avant d'entrer dans l'enceinte de la piscine, j'examinai les lieux et pensai à ce que je ferais. Tout d'abord, je me doutais bien que Renaud refuserait de me parler. Je m'installai donc sur un banc près de l'entrée, dans un coin un peu en retrait, et lui envoyai un long message. Je savais qu'il n'avait pas le droit d'utiliser son téléphone pendant qu'il travaillait, mais peut-être lirait-il ses messages pendant sa pause. Je lui révélai d'abord que Camille était avec moi le soir précédent et qu'elle avait raconté à quelques filles ce que nous avions vu et qu'elles, à leur tour, l'avaient «peut-être» dit à d'autres. Je lui expliquai que comme j'étais avec lui ce matin-là, ça ne pouvait être moi, je le lui jurai. Je le suppliai même de me croire, au nom de tout ce que nous avions vécu ensemble. Je n'aimais pas me mettre à genoux comme ça, mais il le fallait.

Puis, j'eus une idée. J'écris à Renaud que j'expliquerais aux autres que ce n'était même pas vrai, que j'étais là et que je l'avais vu avec une autre fille, la sœur d'un gars de l'équipe, et que Camille avait tout inventé parce qu'elle était fâchée qu'il ne lui ait rien dit. Il me semblait que ça pourrait marcher. La réaction de Camille semblerait peut-être démesurée, mais comme elle exagérait souvent, ça pourrait passer. Peut-être.

J'entrai pour aller m'installer près de la piscine et tentai d'approcher Renaud, mais, comme je m'en doutais, il commença par m'ignorer avant de me regarder d'un air glacial.

Plusieurs de mes amies m'avaient vue et me faisaient de grands gestes de la main. Elles avaient l'air d'avoir désespérément envie que je me joigne à elles, souhaitant sans doute obtenir de ma bouche des potins juteux ou des confidences déchirantes. Je ne leur ferais pas cette joie, enfin pas tout à fait.

Prenant une profonde inspiration, je me dirigeai directement vers Aurélie qui était installée avec une dizaine de filles dont plusieurs m'avaient envoyé des messages plus tôt. Elles n'avaient pas l'air au courant de ma récente conversation avec Camille. Ce n'était sans doute qu'une question de temps, mais c'était parfait. J'avais encore une fois l'impression de monter sur la scène d'un grand théâtre. Elles me regardèrent arriver, les yeux tout doux et dégoulinant d'une compassion que je crus plus ou moins sincère. Mais je jouai le jeu.

— Salut! Je suis contente que vous soyez là! Ça va me faire du bien. Merci pour vos messages. Camille vous a dit, hein? Je pensais que je serais plus à l'envers, mais si Renaud veut me tromper, au moins, c'est pas avec une fille de l'école...

— Non, en effet! Comment tu te sens?

— Pas si mal, en fait. Je m'en doutais un peu. Je l'avais déjà vue, la fille. C'est vrai qu'elle est pas mal *cute* dans le genre pétasse...

L'incompréhension se lut sur leurs visages et elles me regardaient toutes, attendant la suite. Aurélie dit la première:

— C'est pas ce que Camille nous a dit. Voyons, Carolanne, tu peux nous en parler. Elle nous a dit qu'il était avec... un gars. Ouache! Écoute, on en revient pas personne. On se serait jamais doutées!

Je me mis à rire, fort, testant une fois de plus mes talents d'actrice. Puis, faisant mine d'avoir du mal à reprendre mon souffle, je répondis:

— Un GARS? Elle est bonne! Je voyais bien que Camille était encore plus fâchée que moi et je me demandais ce qu'elle allait inventer. C'est fort, un gars! Renaud avec un gars! Qu'est-ce qu'il faut pas entendre! Hey, les filles, on parle de celui qui a donné une volée à un gars au bal parce qu'il disait que c'était une tapette! *Come on!*

— Pourquoi elle aurait dit ça?

— Pourquoi pas? Elle lui en veut de lui avoir caché ça. Elle s'imagine que Renaud et elle sont tellement amis qu'il devrait tout lui dire. Et vous connaissez Camille: elle aime ça quand même, inventer des histoires.

Je leur fis un clin d'œil pour appuyer mes paroles et regardai lentement un peu partout, faisant semblant de chercher quelqu'un.

— C'est dommage qu'elle soit pas ici. J'aurais aimé ça vous la montrer, la fille en question. Vous auriez pu me dire plein d'affaires méchantes sur elle et me rassurer que je suis plus belle qu'elle! C'est en plein de ça que j'aurais besoin. Ça m'aurait fait du bien...

Elles se mirent à me poser plein de questions sur Renaud et la fille, et me demandèrent comment je me sentais, combien j'avais de la peine et surtout quand je me vengerais. Elles parlèrent même de Cassandra puisque c'en était une autre avec qui Renaud m'avait «trompée» même si, techniquement, comme nous ne sortions pas ensemble, ce n'était pas la même chose. Je les laissai parler, ne répondant vaguement que lorsque je n'avais pas le choix. Je réglerais ça directement avec Cassandra un jour ou l'autre. En attendant, je vis qu'elles me croyaient. Peut-être pas totalement, mais assez pour douter, ce qui était bien suffisant.

Renaud continuait de m'ignorer et je n'étais pas étonnée. Je savais qu'il fermait la piscine ce soir-là encore et je me demandai s'il attendait le même visiteur que la veille. Rien ne l'en empêchait, au fond, et je fus bien soulagée de voir que, déjà, j'avais moins mal. Un peu. Je tenais à lui parler, ne serait-ce que pour m'assurer qu'il avait lu mon message. Je croyais le plus gros du danger écarté pour le moment, mais je voulais tout de même l'avertir, juste au cas. Je me promis donc de revenir ce soir-là, peu après la fermeture. Après, il ferait de moi ce qu'il voulait. S'il voulait m'effacer de sa vie, je n'y pouvais rien. Par contre, je redoutais vraiment les conséquences du commérage de Camille et je n'avais plus l'intention de me fermer les yeux sur ce genre de choses. Tant pis pour le reste.

Chapitre 16

Carolanne à la rescousse...

Je passai le reste de la journée à essayer de faire du ménage dans tout ce que je ressentais. Ma blessure n'était pas guérie, loin de là. Au fond, je me rendais compte, à chaque minute qui passait, de l'impossibilité de vivre avec Renaud tout ce que j'avais tellement espéré. J'avais imaginé tant de choses que nous connaîtrions ensemble, lui et moi: des années de bonheur, un petit appartement un jour et, qui sait, peut-être même qu'il aurait pu y avoir des mini-Renaud, des mini-Carolanne ou un joyeux mélange des deux, pourquoi pas? Tout ça venait de s'envoler et j'avais encore du mal, beaucoup de mal à le croire.

L'impression persistait qu'il m'avait utilisée pour se construire une espèce de façade, pour préserver son secret. Ça ne m'étonnait pas; il était excellent, lui aussi, pour manipuler les gens. Il l'avait fait avec Cassandra, il l'avait fait avec Camille, et avec moi, bien sûr. Mais au-delà de tout ça, je me demandai, comme me l'avait conseillé ma mère, comment il se sentait, lui, et je réalisai qu'il devait être tout croche et depuis longtemps. Peut-être avait-il espéré pouvoir, avec moi, « changer » ses pulsions, oublier qu'il était plus attiré par les gars que par les filles. Je ne croyais pas vraiment que ça aurait été possible. Ma mère avait raison, selon moi. Personne ne choisirait d'être différent, en tout cas pas comme ça, en risquant de subir toutes les conséquences potentielles. Je me demandais bien ce qu'il allait faire maintenant, s'il aurait le courage de s'afficher ou non, s'il serait capable de faire comprendre à sa famille et à ses amis ce qu'il vivait et, plus important, s'il saurait se faire accepter et s'accepter lui-même. Ce serait un tel choc! Je voyais plutôt ses amis se tourner contre lui. Quant à sa famille... j'imaginais très, très mal son père lui dire quelque chose du genre: « Tant que t'es heureux, mon gars! » Non, je ne voyais pas ça du tout. Même si je vivais une peine d'amour bien plus profonde que lorsqu'il m'avait quittée l'année précédente, je ressentais avant tout de la pitié pour lui et il aurait détesté ça. En fait, ça l'aurait sans doute mis dans une colère indescriptible. La pitié, pour Renaud, c'était bon pour ceux qui sont vraiment démunis, qui en arrachent à cause de la vie, alors que lui, joueur de foot, populaire auprès d'à peu près toutes les filles de l'école, on devait plutôt l'envier.

Vers neuf heures et demie, je me dirigeai lentement vers le parc, allongeant mon parcours pour ne pas arriver trop tôt. Il fallait qu'il soit seul. Je ne voulais pas que d'autres sauveteurs ou employés soient présents et je me demandai s'il accepterait de me parler. Je voulais que nous marchions ensemble : je me sentais capable de lui parler en marchant, dans l'obscurité, pour l'avertir des dangers, des dégâts à venir sans pleurer et sans être trop pathétique.

Mes doigts, enfouis dans la poche avant de ma veste, étaient croisés. J'arrivai au parc quelques minutes avant dix heures et le vis à l'intérieur du pavillon. Il parcourait les pièces, éteignant les lumières sur son passage. D'après ce que je pouvais voir, il était seul et j'en fus soulagée. Comme ça, il lui serait plus difficile d'essayer de m'éviter.

J'attendis, le regardant de loin, assise sous un arbre. Les dernières lumières s'éteignirent et je commençais à me lever lorsque je vis quelques ombres se diriger rapidement vers l'entrée du pavillon. Cinq ou six personnes attendaient, tapies dans la noirceur. D'autres visiteurs ? Mais pourquoi tant que ça et pourquoi avaient-ils l'air de se cacher ? Un gros frisson d'appréhension me parcourut qui se transforma vite en peur, puis en panique.

Dès que Renaud eut terminé de barrer la lourde porte du pavillon, les ombres se redressèrent et l'encerclèrent. J'étais assez près pour entendre les paroles échangées.

— Hey, Renaud, on t'attendait!

— Ah, salut. Qu'est-ce que vous faites ici?

Je crus détecter dans sa voix autre chose que de la surprise. Il les connaissait; ce qui aurait dû me rassurer m'angoissa cependant encore plus. L'un d'eux s'approcha davantage de Renaud et dit:

— Ah, bin on est venus voir si tu voulais avoir un peu de fun. On a entendu dire que t'aimais ça, te faire des petits trips ici en finissant.

Renaud sursauta et joua l'innocent:

— Qu'est-ce que tu dis là, *man,* j'sais pas de quoi tu parles!

— Ah non, hein? T'es là, avec ta blonde, à nous faire accroire que t'es *straight,* mais dans le fond, tu rêves de sucer une grosse queue, hein? Camille t'as vu, essaye pas, on l'sait!

— Camille?

Renaud n'eut pas le temps d'en dire davantage. Un premier gars lui donna un coup de genou entre les jambes. Renaud ne vit rien venir et moi, je tressaillis. Un autre lui balança un coup de poing au visage et je paniquai. Renaud essaya de riposter, mais il était encerclé. Deux gars lui maintinrent les bras et les trois derniers se campèrent devant lui. Le temps sembla s'arrêter pendant quelques instants. J'entendis distinctement l'un d'eux lui dire:

— T'aimerais ça l'avoir, ma queue, hein?

Je connaissais cette voix, mais je n'arrivais pas à mettre un visage dessus. Le gars le frappa au visage d'abord, puis il lui laboura le ventre de coups tandis que les autres lui tiraient les bras vers l'arrière de plus en plus fort et mettaient leurs mains sur sa bouche pour l'empêcher de crier.

Je ne savais pas quoi faire. En quelques secondes, ils étaient tous sur lui, l'injuriant, le traitant de tous les noms les plus méprisants, lui assénant coup sur coup, chacun me faisant sursauter. J'aurais juré qu'il en recevait des centaines, voire des milliers. Tout semblait se passer au ralenti.

Renaud s'était effondré au sol et tentait de se protéger la tête de ses bras tandis que ses agresseurs le rouaient de coups de pied de plus en plus forts. Renaud les suppliait d'arrêter, ce qui ne faisait que les encourager. « Ah, ma petite tapette pleure ! C'est là qu'on voit vraiment comment t'es, hein ? »

Un autre ajoutait : « C'est toi qui nous regardais dans douche, mon écœurant. Tu les voulais, nos queues? Tu voulais les voir, les sucer, peut-être? Prends ça, à la place ! » Il souleva ce qui me sembla être, d'où j'étais, un bâton de baseball et le frappa au dos.

Je ne pouvais pas rester là à rien faire, mais j'étais terrorisée. Je me levai et cognai sur la base métallique du filet de basketball, espérant les faire réaliser que quelqu'un était là. Ils n'y portèrent pas la moindre attention. Ils étaient déchaînés, se passaient le bâton de l'un à l'autre pour que tous puissent y aller de leur vengeance. Ils allaient le tuer.

Je voulais crier, mais j'avais peur qu'ils s'en prennent à moi. J'aurais tout donné pour voir un adulte arriver ou, encore mieux, la police. Évidemment, ils ne sont jamais là quand on a vraiment besoin d'eux! Dans l'obscurité, même si je ne pouvais pas vraiment distinguer de détails, je vis malgré tout un des gars frapper un objet contre le mur du pavillon et j'entendis un bruit de verre brisé. Une bouteille de bière sans doute. Ça me sortit de ma torpeur et j'eus enfin une idée.

Je sortis mon cellulaire et composai le 9-1-1. Aussitôt qu'on me répondit, je hurlai dans l'appareil: « Au parc des Ruisseaux, vite! Y a quelqu'un en train de se faire battre. Venez tout de suite! »

Les gars m'avaient entendue mais ne pouvaient pas très bien me voir. Je partis en courant dans la direction opposée en criant:

— C'était à la police que je parlais, lâchez-le!

En me cachant dans l'ombrage des arbres, je pus les voir hésiter puis partir après quelques derniers coups de pied et après avoir, l'un après l'autre, craché sur Renaud qui se tordait au sol.

Quand je fus certaine qu'ils étaient loin, je

retournai auprès de Renaud et ce que je vis me glaça d'horreur. Il gisait là, ensanglanté. Du sang partout, surtout sur son visage, s'écoulant de sa bouche et de l'énorme plaie qui déformait sa joue. Un de ses yeux était tellement enflé qu'on ne voyait qu'une ligne là où il aurait dû s'ouvrir. Il se tenait le ventre en gémissant. Il essaya de se relever mais retomba aussitôt, poussant un cri lorsque sa jambe bougea. Et pour cause. L'angle de son genou n'était pas normal. Je m'approchai de lui et fus soulagée d'entendre, au loin, une sirène hurler. Je n'osais pas le toucher de peur de lui faire encore plus mal, mais pris tout de même sa main et lui parlai tout doucement à l'oreille:

— Ils sont partis, Renaud. Ça va, ça va aller. C'est fini, ils sont partis.

Je pleurais, et lui aussi. Il gémissait de douleur et me serra la main en me regardant de son œil valide. Il pleurait lui aussi, cet œil, et la vue des larmes qui se mêlaient au sang me fit éclater en sanglots. Puis l'œil en question roula vers le haut et Renaud perdit connaissance. Ma panique s'éleva d'un cran. Je le croyais mort. Je n'osais pas le secouer. Je ne faisais que lui crier: «Renaud! Renaud! Réponds-moi!» J'ai dû répéter ça des centaines de fois, et c'était toujours ce que je faisais quand les policiers sont arrivés.

Un agent de police me souleva doucement. Je ne

comprenais pas ce qu'il essayait de me dire, seulement qu'il essayait de m'éloigner de Renaud. Je résistais, je ne voulais pas lâcher sa main. Il avait recommencé à gémir. Il n'était pas mort, mais il ne pouvait pas rester là tout seul! Le policier répéta ce qu'il essayait de me faire comprendre et, lentement, ses paroles atteignirent enfin mon cerveau embrouillé:

— Laisse-nous le regarder. L'ambulance s'en vient.

Je le laissai enfin me guider un peu plus loin. Je tremblais comme une feuille et je sanglotais comme un bébé. Le policier essayait de me calmer. Il me disait que je devais lui expliquer ce qui s'était passé. J'en étais incapable. Il me demanda enfin:

— Est-ce que tu habites près d'ici? Veux-tu appeler tes parents ou quelqu'un d'autre?

Mes parents, oui. Il me les fallait tout de suite! Je réussis tant bien que mal à réciter le numéro de la maison au policier qui me tendit son téléphone; je n'avais aucune idée de l'endroit où se trouvait le mien. Ma mère répondit à la deuxième sonnerie et le reste est flou. Je dois lui avoir dit le nécessaire, ou peut-être est-ce le policier, je ne sais plus. Je m'assis sur un banc et regardai, hébétée, deux autres policiers qui s'affairaient autour de Renaud. J'entendis des bribes, ici et là, de ce qu'ils disaient dans leur radio: « Il respire », « Il est mal en point », « L'ambulance est en route ? Tant mieux. »

Mes parents arrivèrent en même temps que l'ambulance et ils avaient l'air aussi paniqués que moi. Ils me prirent dans leurs bras et me serrèrent avec tellement de force que je crus étouffer. Ils demandaient inlassablement, tant au policier qu'à moi, ce qui s'était passé, si j'étais blessée, si j'avais mal, si Renaud m'avait frappée. Je réussis à leur dire que non, je n'avais rien, que c'était juste lui, que des gars l'avaient attendu alors qu'il fermait la piscine et l'avaient attaqué. Je leur racontai que c'était moi qui avais appelé la police. Je déballais tout ça de façon hachurée, la voix tremblante, et je me trouvais totalement incohérente. Le spectacle des ambulanciers qui venaient en aide à Renaud m'hypnotisait. Je les entendais lui parler, j'étais donc un peu rassurée puisqu'il semblait conscient. Ils finirent par le déposer sur une civière et je sus que j'entendrais ses gémissements dans ma tête pendant très, très longtemps. Je verrais aussi dans mes rêves, tel que les lumières de l'ambulance les éclairaient, les traces de sang au sol et sur le mur de béton blanc du pavillon, là où il avait reçu les premiers coups. Le sang de Renaud, là, partout. Je me demandais si les taches finiraient par disparaître et ce que penseraient tous ceux qui viendraient à la piscine le lendemain matin. Je ne croyais pas qu'elle serait ouverte; il y aurait sûrement une enquête. Je voyais déjà les policiers qui s'assuraient que le ruban de plastique jaune qui encerclait la scène était bien solide. Non, il n'y aurait pas de baignade pour nous ce lundi-là et peut-être même pas de la semaine.

Le policier se rapprocha à nouveau de moi et me dit qu'il fallait qu'il prenne mon témoignage officiel. Je voulais plutôt aller à l'hôpital avec Renaud, mais je devais d'abord le suivre. Je pourrais y aller après.

L'agent m'entraîna vers sa voiture et en sortit ce qu'il fallait pour prendre ma déposition. Il me laissa le temps de me calmer un peu. Je réussis à raconter ce que j'avais vu et à avouer que même si j'étais incapable d'identifier les gars qui s'en étaient pris à Renaud, il était évident qu'il les connaissait, lui. Il allait sans doute refuser de les dénoncer même s'ils avaient failli le tuer. Je le connaissais assez pour savoir ça. L'agent me dit qu'un enquêteur voudrait peut-être me parler et que la suite était à voir. Puis, avec mes parents, il me fit réaliser l'importance de mon geste. Si je n'avais pas réagi, Renaud serait peut-être mort; et si j'avais essayé d'intervenir directement, je serais peut-être aussi à l'hôpital plutôt qu'avec eux, saine et sauve. Sauve, oui, saine, rien n'était moins sûr. Je n'arrêtais pas de pleurer et de trembler, et tout ce que je voulais, c'était connaître l'état de Renaud. Rien ne me disait qu'il était même toujours vivant et c'était insupportable. Mon père était tellement silencieux que c'en était inquiétant. Il était vraiment bouleversé et n'avait pas trop l'air de savoir quoi dire ou quoi faire. Ma mère suggéra que nous allions à la maison et que, de là, nous téléphonions à l'hôpital pour prendre des nouvelles, mais je refusai obstinément. Nous sommes donc allés à l'urgence tous les trois dans un silence complet.

Quand nous sommes arrivés là-bas, une infirmière nous apprit que Renaud était en salle d'opération, mais ne nous en révéla pas davantage puisque nous n'étions pas de la famille. Or, au même moment, la mère de Renaud se précipita vers nous. Elle voulait tout savoir de ce qui s'était passé, me posait mille questions à la seconde, et moi, eh bien, je pleurais sans être capable de lui expliquer grand-chose. Le père de Renaud, lui, demeurait au fond de la salle, et il avait l'air à la fois inquiet, enragé, bouleversé, une bombe prête à exploser. La similitude entre cet air et celui que j'avais souvent vu sur le visage de Renaud récemment était frappante. Ses poings étaient serrés, la mâchoire, tellement crispée que je pouvais voir les muscles de son visage trembler. Il me regardait avec méfiance, comme une bête traquée, comme si tout ce qui s'était passé était de ma faute. Il finit par s'approcher de sa femme et lui dit:

— Laisse-la tranquille, Hélène. Tu vois bien qu'elle braille pis qu'est pas capable de parler. C'est juste une question de temps. J'vas finir par savoir qui a fait ça à mon gars, pis y vont payer. Toute la gang.

Mon père, qui tentait visiblement de calmer tout le monde, ajouta d'une voix posée:

— Tout ce que je sais, c'est qu'ils étaient cinq ou six. Carolanne a pas pu voir leurs visages, mais elle dit que Renaud les connaissait. Comment est-il?

La mère de Renaud se remit à pleurer de plus belle tandis que son père répondait:

— Ils sont en train de l'opérer. Y a des blessures internes, ça saigne de partout, en dedans comme dehors, pis y a une jambe cassée. On sait pas grand-chose encore!

Il se retourna et frappa le mur, y laissant un trou. Sa femme cria. Ma mère me serra dans ses bras et me dit tout doucement:

— Caro, on a vraiment rien à faire ici, ma belle. Les parents de Renaud sont là, ils souffrent, et je sens qu'on est vraiment de trop. Viens.

Elle avait raison, mais j'étais incapable de penser à partir, au moins pas avant de savoir comment allait Renaud.

Au même moment, un médecin s'approcha des parents de Renaud. Ils s'éloignèrent un peu et je les entendis parler à voix basse. La mère de Renaud s'appuyait contre son mari, comme si elle allait tomber soit de soulagement, soit de désespoir. Ne pas savoir me donnait envie de vomir. Puis le médecin les quitta et le père de Renaud s'approcha de nous. Il me regarda et dit :

— Il a plusieurs fractures aux bras, aux jambes, aux côtes, y est amoché en dedans aussi, mais il va être correct. Il en a pour un bout de temps ici et des semaines de convalescence à la maison. Je sais pas ce que t'as à voir là-dedans, toi, mais j'te jure que je vais savoir ce qui est arrivé pis que vous allez tous payer.

Il avait l'air menaçant, il m'accusait, même ! Ça me mit en colère, mais je n'avais plus de forces, j'étais vidée. Ma mère avait l'air complètement abasourdie, mais mon père, par contre, s'était raidi, prêt à intervenir. Il prit une profonde inspiration et répondit :

— Écoute, Robert, la seule chose que ma fille a à voir là-dedans, c'est que si elle avait pas été là et qu'elle avait pas appelé la police, ça aurait pu être dix fois pire. Le reste, c'est juste ton gars qui va pouvoir te le dire. Mais au lieu de lui parler de même, à Caro, tu devrais la remercier. C'est quand même pas elle qui lui a fait quoi que ce soit, à ton gars, au contraire!

Je sentais qu'il faisait un effort surhumain pour rester calme et je le trouvai extraordinaire.

Le père de Renaud en rajouta, plus hargneux que jamais:

— Bon, qu'est-ce que t'es en train de dire, hein? Que mon gars y a fait de la pei-peine à ta p'tite fille? C'est pour ça que c'est lui qui est en train de se faire recoudre de partout, je suppose, alors que elle, est toute correcte? Qu'est-ce qui dit que c'est pas parce qu'il voulait la protéger de quelque chose qu'il s'est retrouvé contre une gang de gars, hein? Mon gars, y a juste des amis. Personne oserait vouloir s'en prendre à lui!

Ma mère tremblait de rage, je le sentais. Elle était prête à bondir et je tentai de la retenir. À mon tour, je fis un effort surhumain pour rester calme et intervins, malgré le regard désapprobateur de ma mère:

— Monsieur Labelle, je comprends que vous soyez tout croche, mais croyez-moi, j'ai rien à faire là-dedans. Je voulais aller parler à Renaud quand je les ai vus, c'est tout...

Je me mis à trembler violemment et ma mère me serra à nouveau contre elle.

Le père de Renaud était tellement tendu que je n'aurais pas été surprise de le voir éclater, laissant sur les murs de la salle d'attente des taches de sang aussi imposantes que celles que son fils avait laissées au parc. La mère de Renaud s'approcha de son mari et le prit dans ses bras. Tout à coup, les épaules de ce dernier se voûtèrent et le père dur, l'homme fâché contre la terre entière, se détourna. Il secoua sa femme pour l'éloigner et sortit de la salle à grandes enjambées. Même si je détestais laisser la mère de Renaud toute seule et aussi triste, il était temps pour nous de retourner à la maison.

Pendant les quarante-cinq minutes de route qui séparaient notre maison de l'hôpital, je fis de mon mieux pour chasser de ma tête les images sanglantes du corps de Renaud. Une vague de colère remplaça soudainement toutes les larmes, les incertitudes, la tristesse et la lassitude que je ressentais depuis la veille; cette vague avait décuplé au cours des dernières heures et s'amplifiait toujours, prenait de plus en plus de force à chaque instant, et je savais que j'aurais du mal à l'empêcher de tout détruire sur son passage. J'en avais peur. Ce raz-de-marée de colère était alimenté par une seule personne. Une fille au visage angélique entouré de longs cheveux blonds.

Camille. Tout ça était la faute de Camille.

Chapitre 17

Le cauchemar se poursuit

J'ai dormi presque quinze heures cette nuit-là. Quand je me suis réveillée, j'avais mal partout, j'étais aussi crevée qu'en me couchant, sinon plus. J'avais une boule permanente dans la gorge qui m'étouffait, et ma colère envers Camille était toujours aussi vive.

Malgré mon manque d'appétit, je picorai par principe, pris une longue douche chaude et me préparai soigneusement avant d'aller chez Camille. Cette rencontre ne serait pas très plaisante, mais il fallait qu'elle sache ce qu'elle avait fait. Je me doutais bien que la nouvelle avait déjà dû faire un bon bout de chemin et j'avais besoin de savoir comment elle se sentait dans tout ça. J'espérais vraiment qu'elle serait mal à l'aise, qu'elle regretterait, qu'elle admettrait que j'avais eu raison lorsque je l'avais confrontée la veille, mais j'en doutais. Camille n'admettait jamais le moindre tort et regrettait encore moins. Il était cependant temps qu'elle se fasse mettre le nez dans ce qu'elle avait provoqué.

J'espérais, sans pourtant y croire, qu'elle manifeste au moins un peu de remords, qu'elle réalise qu'elle était allée trop loin. Je ne voyais pas comment elle pourrait réparer un peu le tort qu'elle avait fait, mais au moins, ça prouverait qu'elle n'était pas aussi odieuse que je le croyais. Encore une fois, en route pour chez elle, je me surpris à me croiser les doigts.

Elle n'était pas là. Sa mère me dit qu'elle était allée au parc. M'y rendant à mon tour, je la vis, installée à une des tables de bois avec Aurélie et plusieurs autres filles. En me voyant, elle redressa les épaules comme si elle voulait se montrer forte et brave et, surtout, sans reproche. Je m'approchai lentement mais fermement, la colère provoquant un bourdonnement constant dans mes oreilles. Je m'efforçais de garder une certaine maîtrise de moi-même. Je savais que si je m'énervais et que je lui sautais au visage, les chances qu'elle admette ses torts passeraient de minces à totalement nulles.

Je me plaçai devant elle et décidai de la laisser parler la première.

— Quoi? As-tu quelque chose à me dire de plus intelligent qu'hier? J'comprends pas ce que tu fais ici. Me semble que t'es trop bonne pour me parler, à moi...

Je restai de glace, indiquant simplement l'enceinte déserte de la piscine d'un petit coup de tête pour voir si elle résisterait à la tentation de parler de ce qui s'était passé.

— T'es pas au courant? Pourtant, Miss Parfaite

devrait tout savoir. En tout cas. Y a vraiment toutes sortes d'histoires ce matin. La piscine est fermée. Y avait des policiers tantôt. Il paraît que Renaud est à l'hôpital. Y en a qui disent qu'il s'est fait taper dessus par une gang de la ville parce qu'il les aurait empêchés d'aller se baigner tard hier soir...

Ah, c'était donc ça, la version « officielle » ? Wow, quelle belle déformation des faits ! Je pris mon air le plus sarcastique et l'interrogeai, exagérant ma surprise pour qu'elle comprenne bien que je ne croyais pas un mot de ce qu'elle racontait :

— Ah, ouais ? Pour vrai ? Renaud est correct, j'espère !

Elle me dévisagea avant de continuer :

— Je sais pas, mais apparemment, toi oui. Allez, crache. C'est quoi qui se passe ?

— Je sais pas encore si Renaud est correct, mais j'avais l'intention d'aller à l'hôpital tantôt. Tu me demandes c'est quoi qui se passe ? Vraiment ? C'est sûr que t'en as pas la moindre idée, hein ?

Elle s'était levée, et nous nous regardions dans les yeux, comme deux cow-boys en duel se demandant qui allait tirer en premier. Ne manquait que la petite musique d'ambiance à l'harmonica. Je détestai Camille de tout mon être et j'eus honte d'avoir été son amie pendant si longtemps. Encore la honte. J'en avais assez.

J'aurais préféré lui parler seule à seule, mais les autres filles restaient là, en attente de ce qui allait se passer. Je leur donnai à toutes une chance:

— Camille, j'aimerais ça qu'on se parle, mais juste nous deux.

Long silence. Puis elle répondit:

— Pourquoi? On est bien, ici! Comme ça, si t'as envie de me traiter de menteuse, tu vas pouvoir le faire dans ma face cette fois-ci, et devant des témoins, en plus!

— J'essayais de protéger Renaud, Cam. Je voulais qu'il sache ce qui se passait, que c'était toi qui avais ouvert ta grande trappe et c'est pour ça que je suis venue ici hier soir, pour le prévenir, mais surtout pour lui dire que c'était toi qui avais tout gâché.

— Hey, j'ai rien gâché pantoute! J'te l'ai déjà dit: c'est lui qui a le problème, pas moi!

— Peut-être, mais c'était pas à toi de le raconter à tout le monde, son «problème»!

— Ah, arrête donc, je l'ai pas dit à tout le monde, reviens-en. La façon que t'en parles, c'est comme si je l'avais même dit à ses parents!

— Tu penses qu'ils le sauront pas, ses parents? Tu penses que ce qui se passe sur Facebook, ça reste juste entre nous? T'es encore plus conne que je pensais! La preuve, c'est qu'ils étaient une gang de gars à l'attendre, Renaud, hier soir, et qu'il aurait pu mourir! Te rends-tu au moins compte de ça?

— Hey, là, t'exagères. Ça a pas rapport! C'était même pas des gars d'ici!

— Franchement, Camille, on dirait que tu fais exprès pour être stupide. Renaud, il les connaissait, les gars qui lui ont sauté dessus comme des sauvages. Et ça, ils l'ont pas fait parce qu'ils voulaient se baigner dans la veillée, crois-moi! Je les ai pas vus, mais je les ai entendus et ils savaient. Je sais pas si c'était des gars de l'école, du football ou les deux, mais ils voulaient le tuer, Camille, y aurait pu MOURIR et C'EST DE TA FAUTE! Comment tu te sens, là, hein?

Elle ne dit rien. J'étais essoufflée, j'avais presque crié à la fin. Puis elle retourna s'asseoir et je crus que mes paroles l'atteignaient enfin, mais je me trompais. Elle ramassa son sac, fit signe aux autres filles qui se levèrent elles aussi et me dit:

— Reviens-en, Carolanne. C'est pas de ma faute si Renaud, c't'une tapette. Peut-être qu'il y en a d'autres qui s'en sont rendu compte avant nous autres, avant toi. Je sais pas vraiment c'est qui la plus conne entre nous deux, mais j'te jure que moi, si mon chum était gai, je l'saurais avant tout le monde. Tu devais être vraiment plate au lit pour qu'il se revire vers les gars, pis là, bin y est trop tard pour qu'il change d'idée. C'est tout ce que j'ai à dire, pis achale-moi pus.

Elle partit, ses fidèles amies à sa suite. J'étais frustrée. J'avais été tellement en colère, et j'en avais encore tellement à lui dire! J'aurais peut-être une autre chance de me vider le cœur complètement.

* * *

En téléphonant à l'hôpital un peu plus tard, ma mère apprit qu'il me serait impossible de voir Renaud avant quelques jours puisque seulement les membres de sa famille immédiate avaient la permission de lui rendre visite. Je patientai tant bien que mal. J'avais hâte de le voir, mais en même temps, j'éprouvais une frousse terrible à cette idée. Je ne savais pas trop ce que j'allais lui dire ni comment il réagirait et encore moins ce que je ferais s'il refusait de me voir ou s'il devenait tellement agité ou en colère qu'on me demanderait de partir. Je n'avais pas d'autre choix que de voir en temps et lieu et d'improviser au besoin. J'appris enfin, le vendredi, que je pouvais aller le voir.

Ma mère m'accompagna jusqu'à l'hôpital. Elle était déchirée entre son désir de monter à son étage au cas où le père de Renaud essaie encore de m'accuser de quelque chose et celui de rester à l'écart pour ne pas avoir à le confronter. Elle voulait me protéger, mais n'était pas certaine d'être capable de rester suffisamment calme si la situation se détériorait. Elle comprenait bien qu'il soit dans un état lamentable; ce qui arrivait à son fils rendrait fou n'importe quel parent. Mais avec le père de Renaud particulièrement, elle était incapable de faire preuve de compréhension. C'était viscéral, et le fait qu'elle en sache plus sur Renaud que le propre père de celui-ci la mettait mal à l'aise. Elle s'en voulait de réagir aussi fortement, mais je réussis à la convaincre de m'attendre au rez-de-chaussée tandis que je me rendais, toute seule et tremblante de nervosité, à l'étage où se trouvait la chambre de mon ami.

Sa mère sortait justement et prit le temps de me serrer dans ses bras avant de me faire un bref bilan. Elle m'apparut vieillie, amaigrie; elle n'en menait pas large et c'était bien compréhensible. J'appris donc que Renaud était éveillé mais incommodé, qu'il avait mal et, surtout, qu'il ne parlait pas beaucoup. Je fis un pâle sourire en disant:

— Ça, c'est pas nouveau...

Elle me rendit mon sourire et poursuivit:

— Il va aller de mieux en mieux. Les médecins disent qu'il a été chanceux dans sa malchance. Il reprend des forces chaque jour, mais je pense pas qu'il va pouvoir commencer le cégep cet automne.

Le football, comme tu t'en doutes, c'est fini, au moins pour cette année... La police est venue plusieurs fois, mais il refuse de dire ce qui s'est passé. Tu as dit qu'il les connaissait, ceux qui lui avaient fait ça. Pourquoi il s'obstine tant que ça à se taire?

Elle avait l'air de tellement souffrir! J'aurais aimé la soulager d'un peu de cette douleur, mais je n'en avais évidemment pas la possibilité. Renaud n'était pas assez naïf pour croire que, s'il ne disait rien, les gars ne dévoileraient pas son secret et qu'il pourrait reprendre une vie normale. Il savait que ça ne se passerait pas ainsi et que sa «vie normale» était bel et bien terminée. Il ne voulait pas faire accuser ses agresseurs et risquer de subir encore pire. C'était assez compréhensible, dans les circonstances, même si je n'étais pas d'accord. Sa mère reprit:

— Robert a parlé au coach de football tout à l'heure. J'imagine que les gars vont tous venir le voir, alors t'as bien fait de venir de bonne heure. Je suis contente que tu sois là, ma belle, ça va lui faire du bien.

Je n'allais pas lui dire que selon moi, la visite se ferait rare; ça aurait suscité beaucoup trop de questions auxquelles je n'étais pas prête à répondre.

— Je m'en allais rejoindre Robert à la cafétéria. On a passé la journée ici et on a oublié de manger...

— Allez-y, j'vais rester ici, à moins que Renaud

soit trop fatigué ou qu'il ait pas envie de me voir...

Je la saluai, pris mon courage à deux mains et entrai dans la chambre.

On aurait dit qu'un train était passé sur le corps de Renaud. Il était tout enflé, tout cabossé, son œil, même nettoyé, était encore très gonflé et presque complètement bouché. Il avait des bleus partout, des points de suture à deux endroits sur le visage, ses deux bras étaient couverts de bandages et d'attelles et il avait une jambe suspendue au-dessus de son lit. Je pris place sur la chaise tout près de lui et attendis qu'il réagisse. Sans tourner la tête, il me dit:

— Je savais que tu viendrais.

— T'as mal?

— Oui, mais c'est pas si pire, ils me donnent de quoi qui me fait dormir. Ce qui me dérange le plus, c'est que j'ai trop de temps pour penser. Je suis tellement tanné de penser, tu peux pas savoir...

Il était beaucoup plus éveillé que ce à quoi je m'étais attendue. J'étais terriblement mal à l'aise.

— Renaud, je sais pas quoi dire. Je te jure que c'est pas de ma faute...

— Je l'sais, Caro. T'as essayé de m'avertir, j'ai lu ton message. Mais je m'attendais quand même pas à ça. Merci d'avoir appelé la police. T'as eu pas mal de guts...

— Ah, du guts, je sais pas. J'aurais aimé mieux

réussir à tout empêcher. C'était qui, Renaud? Faut que tu le dises à la police!

— Es-tu malade? Regarde dans quel état je suis, Caro. Penses-tu vraiment que je vais dire un seul mot à quelqu'un? Il faisait noir, j'ai pas bien vu, pis y ont commencé à me taper dessus. C'est tout ce que je sais. Et je t'en supplie: je sais pas ce que t'as vu ou entendu, mais va pas dire que je les connaissais!

— Y est trop tard, Renaud, je leur ai déjà dit! J'vous ai entendu parler avant qu'ils commencent à te frapper… J'étais pas mal énervée et je voulais qu'ils se fassent prendre!

— C'est pas de ta faute. Ça aurait peut-être été mieux qu'ils m'achèvent.

Je sursautai violemment.

— Voyons, Renaud! T'es pas sérieux. T'as mal là, mais ça va aller. Tu vas être comme neuf dans pas grand temps!

— Comme neuf, ouais, peut-être. Mais tout va changer, pus rien va être pareil. J'suis cuit, Caro, fait à l'os. J'te gage que tout le monde le sait. Y manque juste mes parents pis mon frère, et c'est juste une question de temps.

Je savais qu'il avait raison et je ne trouvai rien à dire.

— J'étais pas capable de te le dire, Caro. J'étais même pas capable de me le dire à moi-même.

D'autres l'ont fait à ma place, faut croire.

— J'voudrais tuer Camille, Renaud. Elle réalise même pas ce qu'elle a fait!

— Non, sûrement pas, pis je suis certain qu'elle voulait pas que ça aille aussi loin. Je peux comprendre qu'elle m'en voulait. Je comprends pas que tu m'en veuilles pas plus que ça, toi...

— Je t'en ai voulu, Renaud, mais ça, c'était hier. C'est pas comme si t'avais fait exprès...

— J'ai tellement essayé d'oublier ça, de faire comme si c'était pas vrai. Pis je pense que j'aurais continué de même longtemps, sauf que là je peux pus et je sais juste pas ce que je vais faire.

— Tu penses pas que tu peux en parler à tes parents ou à quelqu'un d'autre? Me semble qu'il y a du monde pour ça, non?

— Pff. Bin oui. Ils vont me dire de me tenir la tête haute, d'oser dire comment je suis. Mais je suis pas une maudite folle de tapette, Caro! Même toi, tu t'en doutais pas!

— Arrête, c'est pas nécessaire d'en faire un cas non plus. Me semble que tu pourrais juste vivre ta vie...

— Ah oui, quelle vie! J'en ai pus de vie, Caro. De toute manière, je pense que mon père va s'en occuper, de ça. Si y me tue pas, y voudra pus jamais me regarder en pleine face. Pis tous les autres, au village, comment tu penses qu'ils vont me traiter? Peut-être que devant moi ils diront rien, mais aussitôt que je vas avoir le dos tourné, j'vas devenir le fif du village! C'est sûr que si je veux avoir la paix, va falloir que je me pousse. Le cégep, c'est bin beau, mais là, c'est d'un appart que j'ai besoin, et le plus loin d'ici possible! Fuck, j'étais tellement pas rendu là!

— Tu penses pas que t'exagères?

Je disais ça tout en sachant qu'il avait au moins un peu raison. Même si la plupart des gens arriveraient à ne pas en faire un cas, d'autres ne pourraient pas s'empêcher de porter un jugement, de le harceler.

— Sais-tu ce qui me fait le plus mal? J'en peux pus de penser à ça, j'ai vraiment trop de temps ici. Ça me revient tout le temps dans la tête: moi, couché dans un lit d'hôpital parce que j'me suis fait taper dessus. Sais-tu combien j'en ai fait chier, moi, du monde? J'ai envoyé personne à l'hôpital, mais ça aurait pu. Je repense au p'tit cave de Marc-Antoine, à Cassandra, à Ricardo et à d'autres. Je les ai fait suer comme tu peux pas t'imaginer. Le gros *tough*. C'est peut-être moi que j'étais pus capable d'endurer quand je leur bûchais dessus. Ça donnait pas grand-chose, ça changeait rien, faque je recommençais. J'ai l'air smatte là, hein? Y était peut-être temps que ça m'arrive, à moi aussi. J'pas sûr que je mérite d'avoir une chance *anyway*.

J'entendis des éclats de voix venant de l'extérieur. Deux hommes discutaient un peu fort, sans que nous puissions bien les comprendre. Je regardai Renaud, mis ma main sur la sienne et l'embrassai sur la joue. Je ne m'attardai pas sur les larmes qui coulaient de ses yeux, car je savais qu'il ne voudrait pas que je les aie remarquées.

En sortant, je reconnus tout de suite l'entraîneur de Renaud et compris qu'il se passait quelque chose. L'entraîneur essayait de rester calme :

— Robert, j'ai rien de plus à te dire, juste que j'entends des drôles de rumeurs dans le vestiaire. Je pensais t'en parler moi-même avant que tu l'apprennes de quelqu'un d'autre. Je sais pas si ça a un lien avec la raison pour laquelle Renaud est ici, mais tout ce que je sais, c'est que les gars viendront pas. Quand je leur ai dit que Renaud était *out* pour le reste de la saison, au lieu de me poser plein de questions, ils m'ont juste regardé, comme si ça les surprenait pas.

— C'est clair que c'est eux autres d'abord qui ont mis mon gars à l'hôpital ! Pis toi, tu fais rien ? T'as besoin de quoi de plus pour réagir ? Qu'est-ce qui leur a pris ?

— Si la police vient les voir et leur pose des questions, j'vas la laisser faire sa job. C'est pas à moi de me mêler de ça.

Des infirmiers s'approchèrent des deux hommes et leur demandèrent de respecter le silence. L'entraîneur de Renaud se dirigea vers les ascenseurs, et Robert emprunta un long corridor et disparut. La mère de Renaud était restée dans un coin et elle se tordait les mains; elle avait l'air d'une petite bête pitoyable. Elle était pâle et je crus qu'elle allait tomber dans les pommes. Je m'approchai d'elle et la fit asseoir sur un fauteuil. Je ne savais pas quoi faire ni où me mettre. Je lui offris un verre d'eau, mais elle ne me répondit pas. Elle regardait droit devant elle, le visage sans expression. Elle faisait vraiment pitié.

Je n'avais pas envie qu'elle me parle, je ne voulais pas vraiment savoir ce à quoi elle pensait. Mais j'étais là et elle s'accrochait à moi comme à une bouée de sauvetage:

— Je comprends pas. Je comprends rien. Y a des p'tits gars qui disent que Renaud... que mon Renaud est homosexuel.

Elle ne dit rien de plus et continua de fixer le mur devant elle. Puis, avec une lenteur incroyable, elle se tourna vers moi et j'aurais voulu disparaître. Dans son regard, je pouvais lire toute la tristesse du monde. Elle poursuivit:

— Est-ce que ça se peut, Carolanne? Non, hein? T'es sa blonde, tu dois bien savoir! Non, c'est pas possible. Pas mon bébé. Dis-moi que ça se peut pas?

Je ne pouvais pas répondre. Ce n'était pas à moi de le faire. Je préférai détourner sa question :

— Vous savez comment y en a qui disent n'importe quoi. Laissez faire ça pour tout de suite. L'important, c'est que Renaud aille mieux, non ?

Elle se leva et partit aux toilettes. Je retournai dans la chambre de Renaud et lui racontai ce qui venait de se passer. Il ferma son œil et je vis des larmes fraîches couler le long de ses joues. Je pleurai aussi, pour lui. Ce qui l'attendait ne serait pas facile, loin de là, mais je ne pouvais m'empêcher de croire qu'il arriverait à passer au travers. Je ne pouvais certainement pas non plus le condamner pour autant. Probablement parce qu'il avait du remords pour ce qu'il avait fait subir à d'autres à cause de son mal-être à lui. Un peu tard, mais du remords quand même, ce qui n'était malheureusement pas le cas de tout le monde. Au bout d'un moment, il me serra la main et me dit :

— Je pense que t'es mieux de partir. Ça risque d'être un peu laid ici. J'imagine que mes parents vont me poser plein de questions. Je suis pas prêt à leur dire grand-chose, mais je sais pas si j'ai le choix...

— Justement, je peux rester... Ça pourrait être plus facile, non ?

— Non, merci. C'est vraiment fin de ta part, mais

faut que je m'arrange tout seul, et je sais pas pantoute ce qui va se passer. Peut-être qu'avec un peu de chance, ils vont me laisser tranquille encore quelques jours, le temps que je prenne des forces. J'suis fatigué, vraiment brûlé.

Je l'embrassai une dernière fois et sortis. J'avais l'impression que mon cœur pesait une tonne. Je ne croisai pas la mère de Renaud, et c'était tant mieux.

Chapitre 18

Carolanne à la rescousse... encore!

Jusqu'au début des classes, je visitai Renaud quelques autres fois avant qu'il sorte de l'hôpital. Il n'avait pas réussi à admettre quoi que ce soit à ses parents. J'avais l'impression qu'il voulait plutôt les laisser deviner. Tant qu'il n'avouait pas, ses parents pouvaient bien penser ce qu'ils voulaient... Je trouvais ça un peu absurde et ça devait être assez lourd à supporter, mais c'était sa décision.

La rentrée s'annonçait assez bizarre. Je n'avais pas revu Camille et je ne cherchais pas non plus à la voir, ni les autres filles, d'ailleurs. J'avais envie d'avoir la paix, moi aussi; ça me donnait beaucoup de temps pour penser, mais moi, ça faisait mon affaire. Le miroir me renvoyait déjà une tout autre image que celle que j'étais habituée de voir. Malgré tout ce qui me restait à faire pour me pardonner et me débarrasser de cette honte qui me collait à la peau, je l'aimais bien, cette nouvelle fille que je semblais devenir.

Ma dernière année de secondaire s'amorçait et j'avais l'intention qu'elle débute du bon pied. Après avoir fait relâche pour l'été, mes cours de chant recommençaient enfin et je ne tenais plus en place. Ma seule déception était que comme ma mère n'était plus disponible pour me conduire les mercredis soir, j'avais dû changer d'horaire et je ne verrais plus — ou plutôt je n'entendrais plus — Sarah-Jeanne chanter. Une drôle d'intuition me faisait cependant penser que je la reverrais un jour ou l'autre et je m'y accrochais.

Camille m'ignorait et ça ne me perturbait pas le moins du monde. Elle avait rallié toutes nos autres amies contre moi, mais elle n'était pas ouvertement agressive envers moi et j'en étais soulagée. Elle savait frapper là où ça faisait mal et je me considérais somme toute assez chanceuse d'être épargnée. Ce que je lui avais dit avait peut-être fait son chemin, peut-être même qu'elle regrettait ce qu'elle avait fait, ne serait-ce qu'un tout petit peu… J'en doutais et l'espérais à la fois. Son attitude me permettait toutefois de voir comment c'était, de l'autre côté, du côté des rejets de ce monde. Personne ne m'insultait, me frappait ou me blessait, mais on m'évitait comme si j'avais eu une maladie contagieuse, et c'était bien suffisant pour imaginer une toute petite portion de ce que Cassandra avait dû ressentir.

Je me contentai de faire mes travaux d'équipe avec des filles qui semblaient n'appartenir à aucune gang proprement dite, des filles que je pensais « neutres ». Pour le reste, je n'avais aucun mal à me débrouiller toute seule, au contraire. J'imagine que quand on le choisit, c'est déjà moins pire que quand on se le fait imposer... et je compris pourquoi Cassandra avait ressenti le besoin de partir loin d'ici, loin de tout ce qui la faisait souffrir. Comme j'avais passé les derniers jours de l'été à réfléchir, j'avais fait un plan. Le cas de Renaud m'occupait beaucoup, mais je voulais aussi régler celui de Cassandra de manière urgente. Je me suis donc rendue chez sa mère en espérant qu'elle me dise où je pourrais trouver sa fille, mais cela fut une erreur.

Je me suis retrouvée devant une femme trop blonde, trop bronzée, et surtout, trop frustrée. Elle a eu l'air étonnée de me voir là et le fut encore plus par ma question.

— Cassandra ? Toutoune ? Tu ressembles pas à une de ses amies, pourtant, t'as trop d'allure pour ça. Elle est partie, ma chère Toutoune adorée. Elle est retournée chez son père depuis l'accident, pis j'ai pas le droit de l'appeler ou d'essayer de la trouver.

— L'accident ? Quel accident ?

— Bin, l'accident de char, c't'affaire ! Celui où elle a été chanceuse de pas mourir, même si moi, ça m'aurait pas crevé le cœur ! A pensait qu'elle avait pas besoin de personne pis qu'a pouvait s'arranger toute seule tout l'été? C'est ça que ça a donné! Faque là, est chez son père. Dommage qu'elle soit pas venue brailler ici. Ça m'aurait fait plaisir de lui fermer la porte au nez!

— Est-tu correcte? Il vit où, son père?

— Bin oui, est correcte. A toujours été chanceuse, elle, même si a trouvait des raisons de chialer. Son père, y est en ville. J'sais pas où, au juste.

Il s'en suivit un long monologue où la mère de Cassandra accusait sa fille de l'avoir trahie, de ne l'avoir jamais respectée, disant qu'elle avait bien fait de la frapper, qu'elle l'avait bien cherché.

Je pouvais aisément sentir son haleine qui puait l'alcool même si nous étions en plein après-midi. Elle avait de petits yeux qui semblaient tout scruter, regarder partout à la fois, surveiller quelque chose comme si un danger la guettait. Elle me faisait l'effet d'une vipère prête à mordre à tout moment. Charmante femme. On sentait bien l'amour inconditionnel qu'elle portait à sa fille! Je me demandais ce qui s'était passé entre elles. Cassandra ne l'avait pas eu facile à l'école, et il semblait que c'était aussi le cas à la maison… « Toujours été chanceuse », ouais. Pas étonnant qu'elle ait décidé de partir! Miss Parfaite n'aurait pas pu essayer de comprendre l'ampleur du désastre de la vie de Cassandra avant de l'empirer, bien sûr que non! Oh, comme je m'en voulais ! Il était clair que Cassandra passait un mauvais moment, et nous, au lieu de tout faire pour l'aider, nous en avions rajouté. Je ne voulais plus parler à cette femme qui n'allait certainement pas m'en apprendre davantage. Il ne me restait qu'une seule personne qui peut-être me renseignerait.

À l'école, le lendemain midi, je pris donc une profonde inspiration et allai voir Marc-Antoine. J'avais plusieurs choses à lui dire. Je l'approchai alors qu'il lisait sous un arbre, un midi, et je pus bien voir la méfiance se dessiner sur son visage quand il me vit. Je lui adressai mon plus beau sourire, le plus sincère aussi, espérant l'amadouer. J'avais la désagréable impression d'essayer d'apprivoiser un animal rendu sauvage à cause de mauvais traitements infligés par des humains cruels. C'était un peu ça, au fond. Arrivée près de lui, je lui demandai :

— Est-ce que je peux m'asseoir ?

— J'peux pas vraiment t'en empêcher, c't'un pays libre.

J'optai pour l'honnêteté.

— Je comprends très bien que tu veuilles rien savoir de moi et je peux certainement pas te blâmer. Je voulais juste te dire que j'ai appris et compris pas mal d'affaires pendant l'été et je voudrais m'excuser.

— Tu m'as jamais rien fait. Ton chum, oui, mais bon. J'imagine que c'est pus ton chum, d'après ce que j'entends depuis une couple de semaines!

— Non, c'est pus mon chum, mais je peux m'excuser pour lui quand même. Il vit des affaires pas évidentes depuis un bout de temps. Sans l'excuser, ça explique peut-être un peu. Mais je suis pas venue parler de Renaud. Il faut que je fasse des grosses excuses à Cassandra. Sais-tu où je peux la trouver?

Après un long moment durant lequel il me regarda attentivement sans manifester la moindre émotion, il me raconta que la dernière fois qu'il avait essayé d'avoir des nouvelles, la mère de Cassandra lui avait dit à peu près la même chose qu'à moi, l'accident en moins puisqu'il ne s'était pas encore produit. Marc-Antoine avait fini par parler au petit frère de Cassandra qui lui avait dit qu'elle était partie en ville, chez leur ancienne gardienne, et qu'elle travaillait dans un restaurant. C'était en juillet et malgré ses efforts, Marc-Antoine n'avait pas réussi à entrer en contact avec elle. Puis, juste avant la rentrée, il avait essayé de voir Raphaël, le petit frère en question, mais sa mère lui avait dit qu'il était parti lui aussi, qu'avec sa sœur il était parti vivre chez leur père, un tricheur, menteur, manipulateur de la pire espèce, d'après elle. Marc-Antoine me dit que ce qu'il connaissait de leur père ne correspondait pas à ça et je fus soulagée. Je lui parlai de l'accident, lui demandant s'il était au courant, et en voyant l'inquiétude sur son visage, je compris que non. Je le rassurai à mon tour, lui disant que Cassandra était apparemment hors de danger et lui promettant que j'essaierais d'en savoir plus, d'une manière ou d'une autre. Il me confirma ce dont il était facile de se douter : la mère de Cassandra était folle. Elle avait toujours détesté sa fille, l'avait ridiculisée, harcelée sans répit. Marc-Antoine me regarda sous son long toupet et me dit :

— J'ai essayé de la retrouver cet été. Je suis allé en ville trois fois, mais ça a rien donné. La gardienne, j'ai jamais pu trouver son numéro de téléphone et comme tu t'en doutes, Cass avait changé le sien. Je pense que Raphaël l'avait, mais là, si ils sont chez leur père, ça va sûrement être plus facile de la retrouver !

Il continua du même souffle :

— J'imagine que si tu veux lui faire des excuses, c'est parce que tu t'es rendu compte que vous l'aviez mal jugée, toi pis tes amies, et qu'elle méritait pas ce que vous lui avez fait… Y est un peu tard, mais la connaissant, je sais qu'elle va essayer, au moins, de te pardonner. Tu sauras jamais à quel point vous lui avez fait mal, et j'espère qu'elle est passée par-dessus. Pis si elle va à l'école là-bas, tant mieux, elle aura pas à repenser à tout ça. Moi aussi, je voudrais bien lui parler. Je m'ennuie. Mais si elle m'a pas fait signe, c'est parce qu'elle se fout pas mal de moi...

Je ne savais pas quoi répondre. Il avait l'air tellement triste que mon cœur se serra. C'était pourtant à lui et à Cassandra de régler ça. J'avais mes propres choses à voir avec elle...

Marc-Antoine me donna le nom du père de Cassandra et avec ça, je trouvai l'adresse et le numéro de téléphone. Je n'arrivais toutefois pas à rassembler le courage nécessaire pour composer le numéro. Le mieux aurait certainement été d'aller la voir, comme ça elle n'aurait pas pu me raccrocher le téléphone au nez, mais c'était aussi plus difficile parce qu'il me faudrait alors la regarder dans les yeux.

C'était pourtant exactement ce que je voulais faire. J'irais la voir après mon cours de chant puisque ce n'était pas très loin. Mais quelque chose que j'aurais pu voir venir me fit encore remettre ces belles intentions à plus tard.

* * *

Presque deux mois s'étaient écoulés depuis la raclée que Renaud avait subie. J'allais régulièrement chez lui après l'école et je trouvais qu'il n'en menait pas large. Ses blessures guérissaient lentement et son visage avait pris toutes sortes de teintes, de bleu et rouge à jaune et vert. Il avait une cicatrice au coin de la bouche qui ne disparaîtrait jamais complètement, celle qu'il appelait son « souvenir ». « J'vas pouvoir me rappeler de ça toute ma vie, disait-il. C'est cool, hein ? »

Il n'était pas question qu'il retourne jouer au football même s'il l'avait voulu, ce qui n'était pas du tout le cas. Sa fracture de la jambe l'empêcherait probablement de pratiquer quelque sport que ce soit de façon intensive pendant un bon bout de temps. La police avait interrogé les gars de l'équipe et quelques autres de l'école, pour la forme, mais comme Renaud ne portait pas plainte officiellement, il n'y eut pas vraiment d'enquête. Renaud refusait toujours de dénoncer ses agresseurs, et ça ne m'étonnait pas.

L'atmosphère, chez lui, était devenue insupportable. Renaud avait fini par confirmer à ses parents que les rumeurs étaient vraies. Il ne voulait plus leur mentir, surtout à sa mère. En réaction, elle le couvait trop, essayait de se rapprocher de lui, tentait de comprendre, de l'aider; le fils la repoussait, lui disait qu'il n'avait pas besoin de sa pitié. Je trouvais ça déchirant de la voir souffrir; son air blessé chaque fois qu'elle le regardait était pénible à voir. Son père, lui, le traitait comme s'il était la plus dégueulasse des bestioles. Il le regardait avec dédain en hochant la tête comme s'il trouvait totalement inadmissible que son fils soit devenu ce qu'il était. Renaud me racontait qu'au début, il l'avait ignoré, fait comme s'il n'existait pas. Ça n'avait cependant pas duré. Quelque temps après, il était devenu agressif envers lui. Sa haine était évidente. Il ne ratait aucune occasion de le blesser, lui disant plusieurs fois par jour qu'il avait hâte qu'il soit assez solide pour « sacrer son camp» pour qu'il n'ait plus à poser les yeux sur lui, le plus grand échec de sa vie. Il avait honte de son fils, se demandait ce qu'il avait fait de mal. Au début, Renaud avait essayé de lui dire qu'il n'avait rien à voir là-dedans, qu'il n'avait pas besoin de comprendre ou de se sentir coupable de quoi que ce soit, mais les insultes continuaient de pleuvoir et Renaud s'assombrissait de jour en jour. Je lui trouvais mauvaise mine; il avait d'énormes cernes sous les yeux et son regard était inquiétant. Il brillait d'une lueur étrange, comme si Renaud cherchait une issue qui n'existait pas, comme s'il essayait continuellement de s'enfuir.

Puis, un soir, ils en sont venus aux coups. Renaud discutait avec sa mère quand son père et son frère sont arrivés. Ils l'ont accusé, encore une fois, de se réfugier dans les jupes de sa mère, soulignant qu'une femme pourrait sans doute mieux le comprendre puisqu'il n'était lui-même qu'une femme manquée. Son père ajouta que c'était probablement parce sa mère l'avait trop protégé qu'il n'avait pas été capable de devenir un vrai gars. Il dit ça avec un tel mépris envers sa mère que Renaud tenta de la défendre, mais ça ne fit que jeter de l'huile sur le feu. Son père le poussa, puis s'essuya les mains « de peur de se salir ou d'attraper le sida ou une autre maladie de fif». Renaud le poussa à son tour et son père perdit le contrôle :

— C'est pas une maudite tapette qui va venir me pousser dans ma maison! Si t'es assez guéri pour faire ton smatte avec moi, t'es assez guéri pour t'en aller! Ramasse tes affaires pis fais de l'air, je veux plus te voir! En ce qui me concerne, j'ai juste un fils, pis j'vas me contenter de ça!

Le frère de Renaud le regarda, ne sachant pas trop où se mettre, mais sans prendre sa défense. C'est à ce moment mal choisi, alors que Renaud était dans sa chambre en train de fourrer ses vêtements dans un grand sac, que je suis arrivée. Je n'avais pas besoin d'un dessin pour comprendre ce qui s'était passé.

— Où tu vas aller?

— Je l'sais-tu? C'est pas comme si j'avais une tonne d'amis au village chez qui je peux aller!

Je l'ai emmené chez moi, et mes parents — je les adorai pour ça — acceptèrent sans hésitation de l'installer au sous-sol. Ma mère le regarda d'un air triste et tellement doux que, lorsqu'elle s'approcha de Renaud et le prit dans ses bras, il se laissa faire un moment. Puis il se secoua, lui dit merci et nous demanda s'il pouvait se coucher même s'il était encore très tôt, tant il était fatigué. Je tentai de rester avec lui un moment, mais il fit mine de dormir et je le laissai tranquille.

Un peu plus tard, je descendis au sous-sol pour voir s'il dormait toujours; j'avais envie de prendre l'air et me demandais s'il avait envie de m'accompagner. Il n'était pas là. Inquiète, je l'appelai, cherchai partout, mais il s'était évaporé. J'attrapai un manteau et sortis de la maison, scrutant les alentours. Puis, bizarrement, j'eus l'intuition que je le trouverais au parc. Je marchais vite, ressentant une urgence inexplicable.

Arrivée au parc, j'essayai de fouiller les ombres. Je le vis enfin, debout sous le grand chêne où nous avions l'habitude, autrefois, de nous asseoir. Il fit un large mouvement du bras, comme s'il lançait quelque chose dans l'arbre, et grimpa sur le banc. Il attrapa un objet que je ne pouvais pas voir et eut l'air de se le mettre sur la tête. Puis, il mit les mains derrière son dos et sembla les tordre quelques fois.

Mon sang se glaça lorsque je compris enfin ce qu'il était en train de faire et je me mis à courir en criant son nom. Il grimpait sur le dossier du banc lorsqu'il m'entendit; j'eus l'impression qu'il me regardait, qu'il hésitait mais peut-être était-il déjà trop tard et il tomba dans le vide. Je vis son corps se tendre, se tordre dans tous les sens. Je me précipitai et le pris dans mes bras. Il était si lourd! Et en plus, Renaud donnait des coups de pied, se contorsionnait dans tous les sens, mais je ne lâchais pas prise, le soulevant du mieux que je le pouvais pour enlever un peu de pression sur sa gorge. Il faisait des sons gutturaux, affreux, et se débattait tant que ses mains finirent par se libérer et s'emparèrent immédiatement de la corde pour la desserrer dans un ultime instinct de survie. La corde céda enfin et Renaud s'écrasa sur moi de tout son poids, nous projetant tous les deux sur le sol presque gelé, le souffle court, nos sanglots déchirant l'air du soir.

Nous sommes restés là, pêle-mêle. Tout ça n'avait duré que quelques secondes, mais j'avais l'impression qu'il s'était écoulé des heures. J'essayais de serrer Renaud dans mes bras; il tremblait, il avait l'air si fragile, brisé. Il ne cessait de répéter d'une voix rauque et tremblante qu'il avait essayé de tout arrêter quand il m'avait vue, mais qu'il n'avait pas pu; il disait qu'il ne savait pas s'il méritait de vivre, qu'il ne voulait pas être qui il était et c'était horrible. Il toussait, se frottait la gorge et continuait de répéter ces trois phrases, comme une litanie déchirante. D'une voix méconnaissable, il me dit:

— Réalises-tu que tu m'as sauvé la vie deux fois dernièrement? Pourquoi, Caro? Tu penses vraiment que je mérite qu'on me sauve?

Je n'arrivais pas à croire qu'il ait vraiment voulu mourir. C'était inadmissible, pour moi, et je préférais penser que c'était plutôt un appel à l'aide désespéré. Cependant, je ne pouvais pas nier que l'irréparable se serait produit si je n'avais pas suivi mon instinct jusqu'ici, si je n'avais pas eu envie de marcher ou si j'avais figé au lieu de réagir comme je l'avais fait. J'aimais mieux ne pas y penser.

Chapitre 19

Opération sauvetage

J'ai ramené Renaud à la maison et je sentais que nous étions tous les deux au bout de nos forces. Il avait tant pleuré, il m'avait dit des choses vraiment douloureuses, je le sentais tellement écorché que son désespoir m'étouffait autant que la corde avait été sur le point de le faire pour lui. Il m'avait fait lire la lettre d'adieu qu'il avait commencé à écrire et qu'il avait fourrée dans sa poche sans la terminer et ça me fit vraiment mal. C'était totalement incohérent, une foule de sentiments jetés sur du papier; mais même la confusion qui s'en dégageait était pénible à constater. Plusieurs choses étaient lancées un peu n'importe comment, des regrets envers ce qu'il avait fait à d'autres, envers son père pour ne pas avoir été le fils qu'il aurait voulu, envers moi, même. Il disait encore qu'il ne méritait pas de vivre, qu'il ne voulait pas être comme il était, mais qu'il ne pouvait le nier plus longtemps. Il ne voulait pas vivre comme ça.

Mes parents, morts d'inquiétude, comprirent rapidement que quelque chose de grave s'était produit en nous voyant arriver. Ma mère était au téléphone et raccrocha en nous voyant arriver. Je crois qu'elle me cherchait partout. Renaud arrivait à peine à se tenir debout et il pleurait toujours. Mon père l'installa sur le divan, lui apporta un verre d'eau que Renaud but d'un trait et je racontai tant bien que mal à mes parents ce qui s'était passé. Mon récit était entrecoupé de sanglots et j'avais autant de mal à parler que mes parents à comprendre, mais je finis par y arriver.

Mes parents étaient désemparés et ne savaient comment réagir ni quoi faire. Mon père voulait emmener Renaud à l'hôpital, mais celui-ci refusait catégoriquement. Malgré l'heure avancée, ma mère téléphona à Francesca qui arriva chez nous à peine quelques instants plus tard.

Prenant une longue inspiration, ma mère s'approcha de Renaud et lui dit tout doucement:

— Mon grand, je pense qu'il est temps pour toi d'accepter un peu d'aide. Tu peux pas passer à travers ça tout seul et même si Caro veut t'aider, elle le peut seulement jusqu'à un certain point. Mon amie Francesca a survécu à ce que tu vis maintenant, ou quelque chose de ressemblant. Elle est aussi bénévole pour un centre d'écoute et je pense qu'elle pourra peut-être faire quelque chose. Ce qui est arrivé ce soir, Renaud, ça prouve que t'es rendu au bout du rouleau, et ça se comprend. Mais y a toujours moyen de regarder la vie en face et de continuer à l'aimer, aussi épeurante et dégoûtante qu'elle peut paraître…

Francesca vint remplacer ma mère auprès de Renaud et lui parla tout doucement, comme une maman l'aurait fait. Puis, ils partirent tous les deux au sous-sol. Malgré le froid de ce soir de novembre, ma mère et moi sommes allées nous asseoir sur notre balançoire, avec mon père, cette fois. Nous n'avons rien dit. J'ai laissé ma mère flatter mes cheveux, mon père caressait mon dos. Je les ai laissés me dorloter, car j'en avais réellement besoin. Ma tête était pleine de tellement d'émotions qu'elle me faisait mal. Je n'arrêtais pas de penser à Camille; j'aurais aimé qu'elle sache. Qu'elle se sente aussi mal que moi, qu'elle souffre, elle aussi. Je savais que ça n'aurait rien changé, mais il me semblait que ça m'aurait fait du bien… Comme quoi il restait en moi un peu de méchanceté: apparemment, je n'étais pas totalement arrivée à me débarrasser de la Miss Parfaite d'autrefois.

* * *

Francesca remonta enfin, mais seulement pour nous informer qu'elle passerait la nuit chez nous, elle aussi. Elle voulait en quelque sorte surveiller Renaud, mais surtout lui montrer qu'elle était là.

Elle n'était qu'une étrangère pour lui, mais elle avait réussi à l'atteindre, à lui faire promettre au moins de voir quelqu'un dès le lendemain. Elle connaissait des gens disponibles pour ça, et c'était urgent. Selon elle, son état physique n'était pas inquiétant — il aurait sûrement des douleurs musculaires, surtout au cou et à la gorge —, mais elle le ferait examiner en même temps, juste par précaution. Je lui étais tellement reconnaissante! C'était un soulagement incroyable parce que je savais depuis un moment que le problème de Renaud était trop gros pour moi, trop gros pour lui. C'était facile de dire que tout finirait par s'arranger, qu'il arriverait à être heureux; tout ce qu'il voyait, lui, c'était combien il serait toujours un fif de qui on se moquerait, qu'on exclurait, et qu'il aurait toujours à se cacher ou à se défendre d'être ce qu'il était. Ses « amis » lui avaient déjà laissé des tonnes de messages d'insultes sur sa page Facebook, et les pages personnelles de tous mes amis à moi débordaient d'un débat sans fin à son sujet, qui parfois m'incluait. C'était décourageant et assez épeurant.

Parmi plusieurs autres choses, Renaud me raconta que Francesca lui avait donné plusieurs exemples d'hommes aimés et respectés qui vivaient leur homosexualité tout en étant heureux. Elle lui avait aussi dit que s'il sentait qu'il lui fallait quitter le village pour un temps afin de s'éloigner des rumeurs, des regards, c'était son choix. J'arrivais très bien à comprendre qu'il veuille partir, quitte à revenir un jour, le temps réglant bien des choses. Tout ce qui importait, c'était qu'il avait enfin l'air de croire qu'une vie normale était possible, mais il ressentait le besoin de faire ça ailleurs, là où personne ne le connaissait. Pas évident à dix-sept ans! Encore une fois, je bénis mes parents et remerciai Francesca d'être là en lui demandant ce qui serait arrivé si nous n'avions pas été là, si elle, surtout, n'avait pas été là. Elle me rassura en me disant:

— Tu sais, il existe une multitude de ressources disponibles et, même si chaque cas est différent, il y a des gens merveilleux qui travaillent pour des organismes, dans les CSSS, les écoles, les maisons de jeunes, aussi, et dont la principale préoccupation est d'aider tous ceux qui en ont besoin. Il suffit qu'ils tendent la main…

Justement, j'avais l'impression que Renaud ne l'aurait peut-être pas tendue, la main. Aurait-il même su comment? Je frissonnai en songeant que sans nous, sans moi, il aurait peut-être réussi à s'enlever la vie…

* * *

Dès le lendemain, Francesca emmena Renaud voir un intervenant qu'elle connaissait bien. Mes parents étaient d'accord pour qu'il reste chez nous le temps qu'il fallait et ma mère téléphona à celle de Renaud pour l'informer de ça, espérant ne pas tomber sur son père. Elle n'avait pas l'intention de lui raconter ce qui s'était passé, jugeant que ce n'était pas à elle de le faire, et j'étais d'accord avec elle.

La mère de Renaud apprit à la mienne en pleurant qu'elle quittait son mari. Elle était tout simplement incapable de vivre avec lui après qu'il ait osé jeter son fils à la rue. C'était la goutte d'eau qui avait fait déborder un vase qui s'emplissait lentement depuis des années. Elle lui confia qu'elle aurait dû poser ce geste bien avant, mais qu'elle endurait la situation pour que les garçons aient une vie de famille stable. Elle se trouvait ridicule d'avoir attendu aussi longtemps et demanda à ma mère de ne pas en parler à Renaud tout de suite afin qu'il ne s'en sente pas responsable. Elle avait l'intention de lui en parler elle-même quelques jours plus tard, quand tout serait officialisé. « Il en a bien assez comme ça ! » avait-elle conclu. Ma mère accepta donc cette idée et lorsqu'elle me dit : « Ouf, tant de secrets ! C'est tellement dommage ! » je fus, là aussi, tout à fait d'accord.

J'étais fière de mes parents et de Francesca ; je les admirais. Ils s'étaient vraiment mobilisés pour venir en aide à Renaud dans un geste purement généreux. Mon père avait téléphoné à un de ses amis, propriétaire d'une grande pharmacie en ville, et avait ainsi trouvé à Renaud un travail de commis pas trop exigeant physiquement, offrant même de le conduire matin et soir. Renaud pourrait donc économiser de l'argent en attendant de savoir ce qu'il voulait faire, tant en ce qui concernait le cégep que le reste. Il n'était pas en état de prendre des décisions. Il fallait d'abord qu'il se remette complètement sur pied. Il était suffisamment guéri pour travailler même si sa jambe, surtout, le faisait encore souffrir, mais il ne se plaignait pas.

C'est à peu près à cette époque-là que j'ai commencé à entendre chanter Sarah-Jeanne à la radio; ma station préférée avait lancé son concours annuel de groupes de musique et faisait jouer les chansons de ceux qui avaient été retenus dont Existence, le groupe de Sarah-Jeanne. C'était une chanson que je l'avais déjà entendue chanter la première fois pendant ses cours de chant puis, au spectacle du Festival des arts; je m'en souvenais très bien puisqu'elle m'avait d'abord mise hors de moi. En vérité, elle m'avait bouleversée, mais je ne l'aurais jamais admis à l'époque. *Existence,* le titre de la chanson tout comme le nom du groupe, parlait de choses trop vraies, et chaque fois que je l'entendais, je découvrais un sens nouveau pour moi. Je me réjouis qu'on ait choisi ce groupe, cette chanson. Ce sentiment d'être heureuse de la chance des autres était encore nouveau pour moi, mais il faisait un bien énorme!

Bien au-delà des paroles, cette pièce avait quelque chose de poignant. Les arrangements de piano et de guitare étaient fantastiques, mais lorsque la chanteuse entamait la mélodie, tout devenait irrésistible, presque envahissant. On ne pouvait rester insensible à ce qu'elle chantait, aux mots qu'elle semblait nous confier comme si, elle aussi, avait vécu des choses difficiles. J'avais l'impression que tout le monde pouvait se sentir touché par ces mots si justes, que chaque personne de la terre s'était dit, un jour ou l'autre, la même chose. C'était vrai pour moi, vrai pour Renaud aussi, qui aima aussitôt la chanson lorsque je la lui fis écouter:

Ça rime à quoi ma vie mes larmes, mon existence?
Je peux rien changer de mes erreurs, de mes malchances
Je veux plus regarder en arrière, maintenant il faut que j'avance

Je savais bien que c'était ridicule, mais je m'imaginais que cette chanson avait été écrite pour moi, ou pour Renaud, ou pour nous deux. Comment de simples paroles avaient-elles le pouvoir de changer tant de choses? Moi qui avais toujours tripé sur des tounes insignifiantes ne recherchant qu'un bon *beat*, je découvrais la puissance de la musique, des paroles. C'était sans doute de ce genre de chanson qu'on parlait lorsqu'on qualifiait quelque chose de «rassembleur». Il se forma dans ma tête une image où toutes les personnes qui se sentaient concernées ou touchées par ces paroles se rassemblaient quelque part, dans un parc ou une salle de spectacle; il y en avait des milliers, peut-être même des millions. *J'veux vivre ma vie, celle à laquelle j'ai toujours rêvé, et y a juste moi qui peux décider si je vais y arriver…*

Je le voulais pour moi, ça, mais je le voulais aussi pour Renaud. Même si j'avais souffert à cause de lui, tout comme plusieurs autres, je voulais qu'il puisse trouver le moyen d'être heureux. *Me semble que j'mériterais d'avoir une deuxième chance,* disait Existence. C'est ce qu'on mérite tous, non?

Pendant cette période, Renaud et moi avons parlé plus que jamais. Je sentais que nous avions une connexion bien particulière et ça me plaisait. Quand je lui en faisais part, il me répondait:

— C'est pas tout le monde qui se fait sauver la vie deux fois par une belle fille… C'est sûr qu'y a une connexion. On se croirait dans un roman!

Et là, je sentais qu'il était heureux de l'être encore,

en vie, et ça me suffisait. Il rencontrait des thérapeutes régulièrement et je devinais qu'il émergeait tout doucement du gouffre où il s'était trouvé. Le soir, je descendais le voir au sous-sol et il me racontait tant de choses que parfois je me demandais s'il réalisait qu'il les exprimait à voix haute tant il avait l'air perdu au plus profond de ses pensées.

Il parlait du cégep, me disait qu'il voulait y aller l'an prochain quand il saurait plus précisément quelle matière il voulait étudier. Tout ce qu'il avait fait avant, le football autant que le reste, lui apparaissait futile. Les sports l'intéressaient encore, mais pas pour en faire une carrière. Il voulait trouver ce dans quoi il aurait envie de travailler, dans quoi il serait bon.

Il me racontait ses regrets d'avoir agi comme il l'avait fait, d'avoir blessé et harcelé tant de monde, et je le croyais. Il pleurait beaucoup, aussi. J'appris qu'il m'avait réellement aimée, qu'il n'avait jamais connu qui que ce soit d'autre qu'il avait aimé autant. Il me parla de Jo, aussi, mais ça me mettait un peu mal à l'aise. Ils ne se connaissaient pas beaucoup, mais c'était la première fois qu'il allait aussi loin, qu'il se laissait toucher par un gars. Oui, il avait aimé l'expérience, c'était même cent fois mieux que ce qu'il avait espéré. Il avait su, ce soir-là, que c'était ce qu'il attendait depuis toujours. Si c'était à refaire, il s'y prendrait autrement, mais le ferait quand même.

Il se disait fâché d'avoir été confronté à la vérité aussi brutalement, mais finalement, soulagé aussi. Ça faisait des années qu'il *savait,* mais qu'il refusait de l'admettre. Il me raconta combien c'était difficile pour lui de se regarder dans le miroir et de dire: « Je suis gai. » Il avait tant essayé de ne pas y penser, s'était dit que s'il le refusait, ça passerait, que ce n'était que temporaire. Il me raconta que chaque fois qu'il fantasmait sur un gars, il le haïssait autant qu'il le désirait, lui en voulait de faire naître ce genre de désir en lui. Le pire, selon lui, c'était au football: « T'as pas idée comment ça peut être con, une gang de gars dans un vestiaire! Ils étaient tous là, nus devant moi à faire toutes sortes de niaiseries et des fois, souvent en fait, je bandais. Mais il fallait que je me cache ou, si je pouvais pas, je disais que c'était parce que je pensais à toi. » Il disait si souvent à quel point il regrettait de m'avoir blessée que je ne pouvais faire autrement que lui pardonner.

J'étais tellement mélangée dans toutes mes émotions que je craignais de ne jamais arriver à les démêler. Le seul encouragement que je trouvais était que pour Renaud, ça devait être cent fois pire et depuis beaucoup plus longtemps...

Effectivement, il avait trouvé cet état épuisant, disait-il, comme s'il s'était constamment battu contre lui-même. Le fait que je l'avais surpris et que Camille s'était sentie obligée de dévoiler son secret à tout le monde l'avait brutalement forcé à faire face à la situation plus tôt que prévu, mais il commençait à comprendre que ça avait peut-être été une bonne chose: il avait souvent eu peur de lui-même, pour lui et pour d'autres; ça n'aurait pas pu continuer comme ça longtemps.

Enfin, il me confia un soir qu'il n'avait plus envie de mourir, et cette confidence me rendit heureuse. Selon lui, grâce aux personnes à qui il parlait et qui l'écoutaient, qui intervenaient, qui l'aidaient à voir les choses d'une autre façon que celle, sombre et sans issue qu'il croyait être la seule, il reprenait espoir et ça, c'était merveilleux et j'espérais surtout que ce soit durable. Nous passions parfois la nuit entière ensemble, collés l'un tout contre l'autre et c'était fantastique. Je n'étais plus amoureuse de lui de la même façon que je l'avais été, mais je l'aimais, ça oui. Je n'étais plus certaine de l'avoir aimé autant que je l'avais prétendu; tout me semblait assez confus. Ce dont j'étais absolument certaine, cependant, c'était que je voulais qu'il soit bien et que… il fallait bien qu'il soit gai pour que ma mère me permette de dormir avec lui, chez nous, dans le même lit!

Je n'avais toujours pas adressé la parole à Camille depuis l'été et je n'en avais pas l'intention. J'avais songé à lui raconter ce que Renaud avait tenté de faire, mais j'avais changé d'idée. Elle n'aurait pas compris, n'aurait vu là qu'une marque de faiblesse ou quelque autre platitude du genre.

Les fêtes approchaient et je voyais Renaud devenir de plus en plus triste à la pensée de passer Noël tout seul avec sa mère. Elle était venue chez nous, nous avait remerciés pour tout ce que nous avions fait et avait emmené Renaud souper pour lui raconter ce qui se passait à la maison. Elle avait quitté son père et s'en trouvait libérée. Elle venait de commencer à travailler et, en attendant de pouvoir se payer un appartement, elle vivait chez une amie. Elle aurait bien aimé que Renaud choisisse d'aller vivre avec elle, mais il voulait s'éloigner du village, ce qui était bien compréhensible. Il ne sortait pratiquement pas depuis son séjour à l'hôpital, craignant sans cesse de tomber sur des gars qu'il connaissait ou quelqu'un de l'école qui lui aurait fait un commentaire ou posé un geste blessant. Il ne voulait pas sentir les regards posés sur lui, voir les gens chuchoter sur son passage ni lire le dégoût dans leur visage, le même dégoût qu'il avait vu trop souvent dans les yeux de son père, et que d'autres avaient sans doute vu dans ses propres yeux à lui. Il n'avait pourtant pas envie de se terrer dans notre sous-sol éternellement. Les seuls moments où il se sentait

« libre » et où il arrivait à sourire et à oublier tout ce qui s'était passé, c'était à la pharmacie où il travaillait; une belle camaraderie régnait entre les employés. Personne ne le connaissait; on ne savait rien de lui. Des filles avaient bien sûr essayé de l'approcher, mais il avait répondu qu'il avait une blonde, moi. Il avait eu peur que je sois fâchée, mais au contraire, ça me flattait. Il n'était pas prêt à avouer ouvertement à ces quasi-étrangers qu'il était gai, pas encore, et je le respectais.

De notre côté, pendant les vacances, on est allés skier quelques jours avec Francesca et son amie. Puis, en janvier, juste avant que l'école recommence, j'ai demandé à ma mère de me conduire chez le père de Cassandra. J'avais bien trop attendu, mais je devais m'excuser en repensant à tout ce qui s'était passé.

Dans l'auto, j'étais nerveuse et j'essayais de pratiquer ce que j'allais dire à Cassandra. Finalement, je décidai d'improviser. Ma mère me laissa au coin de la rue; elle en avait pour environ une heure chez sa coiffeuse, qui n'était pas tellement loin. J'irais la rejoindre ou, si je n'avais pas terminé une heure plus tard, je lui téléphonerais.

Plus j'approchais de l'appartement du père de Cassandra, plus mon cœur cognait dans ma poitrine. Je savais qu'elle pourrait très bien refuser de me parler, me claquer la porte au nez, et je ne pourrais pas lui en vouloir. J'avais noté l'adresse sur un bout de papier qui était maintenant tout chiffonné dans ma main, mais ce n'était pas grave: je la connaissais par cœur. Au moment où j'allais m'engager dans l'allée menant chez eux, je vis sortir trois personnes, dont elle, Cassandra. Je fis mine de lacer mes bottines et attendis en espérant qu'elle ne me voit pas. Pas tout de suite. Elle riait aux éclats, et ceux que je devinais être son père et son frère en faisaient autant. Cassandra se pencha et fit une boule de neige qu'elle lança à son frère. Il répliqua aussitôt et leurs rires se mirent à résonner partout. Cassandra était belle, elle avait l'air heureuse et ça me fit chaud au cœur. Je me demandai tout à coup pour qui je me prenais pour interrompre une si belle soirée, faire renaître une foule de si mauvais souvenirs avec mes excuses qui arrivaient presque un an trop tard. La honte refit surface une fois de plus et je décidai que je pourrais lui envoyer une carte ou quelque chose du genre, maintenant que je connaissais son adresse. Je me relevai donc et continuai tout droit sans m'arrêter et sans regarder en arrière.

Tout le long du trajet du retour, je me traitai de poule mouillée. Cot-cot-cot.

Chapitre 20

Cassandra

À la fin du mois de janvier, le concours du poste de radio entrait dans une deuxième ronde et faisait jouer de nouvelles chansons des groupes finalistes, dont Existence. Cette seconde chanson, *Cœur perdu,* était aussi bonne que la précédente; je ne me souvenais pas l'avoir déjà entendue avant. Elle devait être toute nouvelle. Comme l'autre, les paroles m'atteignirent de plein fouet, certaines réveillant ma culpabilité et ma honte, d'autres me faisant me demander si Cassandra pourrait, un jour, me pardonner. D'autres encore représentaient Renaud dans la douleur de ce qu'il devait confronter et le désespoir qui l'avait presque perdu:

L'âme écorchée, j'm'en suis voulu, je voulais en finir
Trop amochée pour voir qu'la vie pourrait encore m'sourire
J'ai cru que la douleur serait ma seule, ma plus fidèle amie
Qu'elle ne me quitterait jamais et empoisonnerait chaque jour de ma vie

Mais là, quand je les espérais plus
Des anges m'ont fait comprendre que j'avais tant d'choses à apprendre
Et que, si j'voulais un jour continuer
Faudrait que j'apprenne à m'pardonner, à m'pardonner...

Tout ce que nous, Camille, moi et tous les autres, avions fait subir à Cassandra revenait me hanter presque chaque jour. Mais tandis qu'autrefois je blâmais Camille, prétendant qu'elle m'avait influencée, j'admettais enfin complètement que j'étais aussi coupable qu'elle sur tous les plans: j'avais voulu blesser Cassandra et j'y étais parvenue. Que Camille ne ressente aucun remords, aucun regret, je n'y pouvais rien. Elle aurait à vivre avec sa propre conscience. Moi, par contre, je n'en pouvais plus et je n'arrivais pas à croire que j'avais reculé chez Cassandra, ce soir-là, si près du but.

C'est Renaud qui a proposé que nous assistions au spectacle du concours de la station de radio. Ma mère avait accepté, comme elle le faisait de plus en plus, de nous prêter « ma voiture »; je ne pouvais pas la conduire seule, n'ayant encore que mon permis d'apprenti conducteur, mais pour Renaud il n'y avait pas de problème. J'étais contente qu'il ait eu envie de sortir. C'était trop rare. L'occasion me semblait parfaite, ne serait-ce que pour voir Existence; de plus, il était vraiment tentant d'aller dans une grande ville, au milieu d'une foule où les chances que quelqu'un connaisse Renaud et gâche notre soirée étaient minces.

Nous avions toujours une relation privilégiée, lui et moi. Nous étions plus près que si nous étions des amoureux, même des amis, car c'était encore plus que ça. Souvent, nous marchions jusqu'au parc tous les deux, tard le soir, en nous collant comme si nous étions un couple ou en nous tenant par la main. Au début, il n'osait pas: il avait peur de me blesser, encore, en me faisant voir des petits morceaux de quelque chose d'impossible, une relation amoureuse. Je le rassurai que je n'avais plus ce désir-là, que ce rêve avait fait place à quelque chose de bien plus global. Ce que je vivais avec lui allait bien plus loin et je l'accueillais avec joie. Je ne ressentais pas de désir pour lui, mais énormément d'affection, et c'était la même chose pour lui.

Nous sommes donc allés voir le spectacle, main dans la main. L'auditorium où se tenait l'événement était plein à craquer. Plusieurs bannières ornées des noms des groupes finalistes flottaient ici et là, dont plusieurs pour Existence, mais nous ne voulions pas nécessairement nous joindre à un groupe en particulier. Être tous les deux anonymes au beau milieu de la foule nous convenait amplement. L'atmosphère était à la fête. Chacun des quatre groupes finalistes voulait terminer gagnant, évidemment. Les deux premiers jouèrent leurs pièces et sortirent de scène sous une tempête d'applaudissements. Existence monta sur scène et je regardai Sarah-Jeanne. Je souriais. J'étais réellement heureuse pour elle et lui envoyai mes pensées les plus positives pour sa prestation. Ça me fit sourire encore plus. Cette fille ne se doutait même pas que j'existais, et voilà que je croyais avoir une quelconque influence sur le déroulement de la soirée. J'étais devenue une vraie groupie!

Le groupe joua ses deux chansons et, plusieurs fois, je sentis la main de Renaud serrer la mienne. À la fin, il me prit dans ses bras et me serra si fort que j'étouffai. L'émotion était à son comble tant pour moi que pour Renaud et je ne fus pas étonnée de sentir ses larmes couler librement. Le dernier groupe termina enfin le spectacle. Il ne restait plus qu'à annoncer les gagnants. Mes doigts croisés me faisaient mal tellement je les serrais, mais c'était pour une bonne cause.

Nous n'avons pas été tellement étonnés de voir Existence remporter la première place. C'était fantastique! Ça voulait dire qu'ils allaient pouvoir enregistrer leurs chansons et faire une série de spectacles. À partir de là, tant de belles opportunités s'ouvraient à eux! Les juges venaient d'annoncer la bonne nouvelle et tous les membres du groupe bondissaient de joie en s'embrassant. Il était évident que Sarah-Jeanne et le batteur étaient amoureux, ça sautait aux yeux, et pas seulement à cause de la façon dont ils s'embrassaient. Le batteur regardait sa chanteuse avec tellement d'étoiles dans les yeux que c'en était touchant, et c'était réciproque. J'eus un drôle de pincement en les voyant, de la nostalgie, sans doute.

La claviériste et la chanteuse firent signe, à trois filles qui étaient dans la foule, de venir les rejoindre. Parmi elles, à ma grande surprise, se trouvait Cassandra.

Il ne m'a fallu qu'une fraction de seconde pour la reconnaître. Renaud, lui, n'avait eu aucune réaction jusqu'à ce que je lui dise:

— Regarde, Renaud, c'est Cassandra...

Nous ne comprenions pas ce qu'elle faisait là, mais ce n'était pas grave. L'important était qu'elle était entourée de gens qui semblaient lui vouer une amitié sincère puisque les trois filles qui étaient montées sur scène étaient au beau milieu de l'embrassade du groupe, comme si elles en faisaient partie, elles aussi. Mon sourire s'agrandit. J'étais vraiment heureuse pour elle. Renaud, lui, ne savait pas trop comment réagir : son premier instinct avait été de reculer dans son siège, comme s'il avait eu peur qu'elle le voie, ce qui était à peu près impossible vu la quantité de monde qui s'entassait dans l'auditorium. Je pouvais cependant le comprendre. Il y avait toujours cette foutue culpabilité qui nous suivrait tant et aussi longtemps que la situation demeurerait inchangée. Il fallait absolument que je me déniaise, et lui aussi, si nous voulions enfin mettre tout ça derrière nous et nous débarrasser de la honte.

* * *

Je demandai donc à Renaud de me conduire à mon cours de chant, la semaine suivante, comme il le faisait de plus en plus régulièrement. Sauf que cette fois, il y avait un autre item à l'ordre du jour. Après mon cours, il ne serait que huit heures; c'était un soir de semaine, et je me dis qu'il y avait de bonnes chances pour que Cassandra soit chez elle. Renaud n'était pas certain d'être prêt, doutant qu'elle accepte de le voir. Je craignais la même chose, moi aussi, mais je ne pouvais plus retarder l'échéance. Je m'étais préparée depuis suffisamment longtemps et j'avais conclu qu'il valait mieux être totalement honnête envers elle. Le plus difficile serait de l'approcher. Si elle ne paniquait pas en me voyant — j'irais seule faire le premier contact, car j'étais à peu près certaine que de « montrer » Renaud mènerait tout droit à l'échec —, j'arriverais sans doute à lui faire comprendre que je n'étais là que pour m'excuser, que je n'avais rien d'autre en tête. Je l'espérais de tout mon cœur. Comme l'immeuble où elle habitait comportait une entrée commune munie d'un système d'interphone, il me fallait d'abord trouver une façon de me faire ouvrir la porte et d'approcher Cassandra si je voulais lui parler. J'eus une idée qui me sembla douteuse à première vue, mais que je décidai d'utiliser malgré tout puisque mon but, cette fois-ci, était louable.

Je me présentai donc à la porte de l'immeuble et sonnai. Mon cœur battait trop fort, mon ventre se tordait. Une voix d'homme répondit et demanda qui était là. Je répondis, la voix assurée :

— C'est Sarah-Jeanne, j'aimerais voir Cassandra !

La sonnerie retentit et je montai. J'arrivai devant la porte au moment où elle s'ouvrait sur une Cassandra souriante et vaguement étonnée :

— Saja ? Qu'est-ce...

Elle s'arrêta net et l'incompréhension envahit son visage d'un seul coup. Elle allait me claquer la porte au nez. Je me dépêchai donc de dire :

— Cassandra, j'aimerais vraiment ça te parler. Excuse-moi de m'être fait passer pour Sarah-Jeanne, mais j'avais peur que tu veuilles pas me voir si je disais vraiment qui j'étais, et j'aurais pas pu te blâmer. Je comprends que t'aies pas envie de me voir la face, mais je suis juste venue ici pour te faire des excuses. Trop tard, je sais bien, et encore une fois, tu peux me dire de me les mettre où je pense, mes excuses, c'est ta décision. Sinon, si t'es assez généreuse pour au moins me donner une toute petite chance, on peut aller marcher un peu...

J'avais tout déballé ça en quelques secondes à peine et je pouvais facilement lire l'indécision, l'étonnement et la méfiance dans son regard. Elle me regarda d'un air vraiment étrange en me faisant signe de l'attendre, puis elle revint avec son manteau et passa devant moi, se dirigeant vers l'extérieur.

Une fois là, elle tourna vers la droite et marcha, vite, tandis que je la suivais du mieux que je le pouvais. Arrivée au coin de la rue, elle s'arrêta et me fit face. Je ne l'avais jamais vue comme ça. La Cassandra qui était devant moi n'avait plus l'allure de la victime que nous l'avions forcée à être: elle avait l'air fâchée, se tenait droite et me regardait dans les yeux, l'air très sûre d'elle. Wow. Puis, elle me dit d'une voix claire recélant une colère mal contenue:

— Qu'est-ce que tu viens faire dans ma vie, même ici, Carolanne? Je suis partie de chez ma mère pour tout oublier, pour avoir la paix. T'as besoin de pas être venue jusqu'ici pour me faire chier parce que tu vas voir que je suis pus la même fille qu'avant et je te laisserai pas gâcher ma vie une deuxième fois.

Je tentai de mettre dans mon regard tout le regret, la sincérité, la douceur dont j'étais capable pour lui répondre :

— Je sais qu'on t'a accusée d'avoir fait quelque chose et que c'était même pas vrai. Je sais qu'on t'a même pas laissé la chance de te défendre. Je sais qu'on a fait de ta vie un enfer et je le regrette plus sincèrement que tu pourras jamais le croire. Je sais que j'arriverai jamais à réparer ce que j'ai fait, Renaud non plus. Je peux au moins m'excuser, par exemple. C'est vraiment tout ce que je peux faire, mais je le fais sincèrement et de tout mon cœur. Je m'attends évidemment pas à ce que tu me dises : « OK, cool, on oublie ça ! » parce que t'as toutes les raisons de me détester pour le reste de tes jours. J'aimerais quand même ça que tu saches que si je pouvais faire quelque chose pour me faire pardonner, réparer tout le mal que je t'ai fait, je le ferais sans hésiter. Renaud aussi…

— Renaud ? Bin oui. Il s'est jamais excusé, je vois pas pourquoi il le ferait aujourd'hui.

— Parce qu'avant il était con et il avait des méchants problèmes. Il en a toujours, il va en avoir pour un boutte, mais je pense qu'il est moins con.

Je lui racontai tout ce qui s'était passé entre Renaud et moi, puis le reste: comment j'avais appris que ce que Renaud avait raconté n'était pas vrai, et la suite, jusqu'à sa tentative de suicide. Je lui dis comment Camille était responsable de tout ce qui était arrivé à Renaud et comment moi, je m'étais lentement «réveillée» et avais réalisé à quel point nous lui avions fait du tort. Je lui dis qu'à partir du moment où Camille l'avait accusée d'avoir volé de l'argent du projet humanitaire, j'avais essayé de lui parler sans toutefois en avoir le courage. J'avouai que j'étais même venue chez elle pendant les vacances de Noël et qu'encore une fois, j'avais reculé. Je lui dis que j'étais allée voir sa mère, que ça m'avait fait voir à quel point nous avions détruit le seul endroit, l'école, où elle trouvait peut-être un peu de répit, et que je m'en étais voulu encore plus.

Renaud arriva à ce moment-là. Il avait les mains dans les poches et avait l'air mal à l'aise, se dandinant sur un pied puis sur l'autre. Cassandra se raidit, arrêta de parler et essaya de le regarder, mais ils détournèrent tous les deux la tête. C'est moi qui parlai, encore:

— Renaud, je lui ai tout raconté, elle sait…

Renaud suggéra que nous allions au petit café du coin de la rue puisqu'il commençait à faire sérieusement froid, là, sur le trottoir. À mon grand bonheur,

Cassandra accepta et, après avoir commandé du chocolat chaud pour tout le monde, Renaud vint nous rejoindre à une petite table tout au fond.

Il se racla la gorge et dit à Cassandra :

— J'ai pas d'excuse pour ce que je t'ai fait, Cass. J'étais un lâche, un menteur, un profiteur. J'étais surtout fucké, j'avais peur de ce que j'étais en train de découvrir sur moi-même et je faisais payer tous les autres, dont toi. Il faut que je m'excuse à plein de monde, et je vais le faire même si ça me prend des années. Mais il faut que je commence par toi, parce que ce que je t'ai fait, c'était vraiment dégueulasse. Je sais que c'est toi qui as eu à le subir, mais ça va peut-être te faire un peu de bien de savoir que je m'haïs pour ça, que je m'en veux, que je vais m'en vouloir pour toujours. C'est pour ça pis un paquet d'autres choses que je pensais que je voulais mourir. Après pas mal de thérapie, j'commence à comprendre qu'il faut que tout ce que j'ai en dedans sorte, à commencer par les excuses. Mais je comprends surtout qu'il faut que j'me regarde en pleine face, même si j'aime vraiment pas ce que je vois. Va falloir que je l'accepte un moment donné.

Cassandra haussa les épaules :

— Non, ça me fait pas de bien de savoir ça, Renaud, ça me rend triste. Que tout ça soit arrivé me rend triste. C'était tellement pas nécessaire. Mais on y peut rien, c'est fait. Là, je suis pas mal mélangée, c'est trop d'affaires en même temps, je sais pas comment réagir. Y a une chose que je sais, c'est que je les accepte, vos excuses, malgré tout, c'est ça qui me fait du bien. Je sais pas si c'est pardonné, j'aimerais ça dire oui, mais je sais vraiment pas.

Renaud et moi nous sommes regardés et j'ai ajouté :

— T'as pas à savoir ça maintenant, Cassandra. Que tu aies accepté de nous écouter, c'est déjà plus que ce qu'on espérait, merci. Merci de les accepter, nos excuses, t'étais pas obligée de faire ça non plus. Pour le reste, on va laisser le temps décider, OK ? Si tu y arrives, à nous pardonner, tant mieux. Sinon, on va devoir apprendre à vivre avec les remords, comme avec bien d'autres choses, hein, Renaud ? On a tous nos problèmes à régler...

Maintenant que j'avais commencé à lui dire tout ce que j'avais voulu lui avouer depuis tant de mois, je ne pouvais plus arrêter. Je me rendais compte que tout ce que je lui avais fait me pesait depuis longtemps et que plus je lui en confiais, mieux je me sentais. Je lui demandai la permission de lui en dire davantage, et elle accepta avec un petit hochement de tête.

Je lui racontai enfin les fois où j'avais voulu aller la voir au sous-sol de l'école où elle se réfugiait, combien je m'étais trouvée idiote de suivre Camille comme un mouton, sans réfléchir par moi-même. J'insistai sur le fait que je ne mettais pas le blâme sur Camille. J'avais participé, j'avais accepté de me fermer les yeux et de ne voir que ce que je voulais bien voir. Il n'était pas si difficile, finalement, de lui confier que ce que je trouvais le pire était de m'être laissé influencer comme si je n'avais pas été capable de me faire ma propre opinion, comme si ce que les autres pouvaient ressentir n'était pas important. Elle sut enfin combien je m'en voulais pour ça, entre toutes les autres choses, comme si je n'avais été qu'un stupide clone de Camille. Je conclus enfin :

— J'imagine que c'est pas toujours le cas, mais là, je peux juste dire : maudites gangs.

Cassandra m'interrompit :

— Oui, maudites gangs, c'est souvent vrai, mais pas tout le temps. Dans les pires cas, y a un paquet de monde correct qui perd toute capacité de réfléchir quand ils sont en gang et qui font des conneries qu'ils feraient jamais tout seuls.

Ça ressemblait tellement à ce que ma mère m'avait dit dernièrement que je frissonnai. Mais elle continua :

— Par contre, y a aussi des gangs qui font le contraire, qui t'emmènent à faire ressortir le meilleur de toi, et je pense que j'en ai trouvé une.

T'sais, si tout ça était pas arrivé, j'aurais jamais rencontré Sarah-Jeanne et les autres. Je pense vraiment qu'ils m'ont sauvé la vie. C'est pas toutes les gangs qui sont mauvaises, j'pense qu'il faut juste choisir la bonne…

Nous nous sommes regardés tous les trois et nous savions qu'elle avait totalement raison. À son tour, elle nous raconta brièvement ce qui s'était passé après qu'elle était partie de chez sa mère. Elle avait vécu chez Catherine, son ancienne gardienne, et même si, au début, ça avait été toute une libération, elle s'était vite rendu compte que plusieurs choses clochaient. Elle travaillait dans un restaurant et c'est là qu'elle avait rencontré la chanteuse et d'autres membres du groupe, mais ce n'est qu'en commençant son secondaire cinq à sa nouvelle école qu'elle était devenue vraiment amie avec eux. Elle nous raconta un peu ce qui s'était passé depuis qu'elle était partie, en commençant par sa relation avec sa mère. Elle nous avoua combien elle la détestait, à quel point cette femme l'avait toujours méprisée et comment, avec son nouveau copain, un « vieux crapaud vicieux », elle s'en était pris à Raphaël, son petit frère. C'est en retournant là-bas pour aider ce dernier que l'accident s'était produit. Le chauffeur de la voiture dans laquelle elle prenait place avec Catherine et son copain avait trop bu et roulait beaucoup trop vite. Ils avaient percuté un camion de plein fouet. Cassandra n'avait eu que très peu de blessures, mais avait encore du mal à monter dans une voiture, ça la faisait paniquer. Elle était incapable d'en parler davantage. Ça l'avait de toute évidence traumatisée.

Tout ça nous bouleversait. Elle avait tant vécu d'horreurs! Elle nous dit qu'elle pourrait nous en raconter toute la nuit, mais qu'elle n'était pas tout à fait prête à ressasser tout ça. C'était son droit le plus strict. Elle ne nous devait rien et je trouvais qu'elle avait déjà fait preuve de beaucoup de courage pour nous dire ça, à nous.

Pour alléger un peu la discussion, je lui dis que Marc-Antoine avait tenté d'avoir de ses nouvelles, qu'il était venu en ville plusieurs fois, mais n'avait pas réussi à retrouver sa trace. Elle eut un air tellement mélancolique que ça me fit mal. Puis Renaud dit en regardant Cassandra dans les yeux:

— C'est lui le prochain sur ma liste de personnes à qui je dois des excuses.

Elle lui sourit à son tour, les yeux mouillés.

Nous avons marché jusque chez elle en silence, Renaud et moi nous tenant la main. Quand Cassandra nous a regardés, juste avant de nous quitter, elle pleurait. Je ne savais pas si elle pleurait sur ce qui aurait pu être différent ou à cause de tout ce qui s'était passé; je me demandais si elle versait des larmes de chagrin, de frustration ou de soulagement maintenant que nous avions fini par admettre tant de choses. Je savais juste que moi, je me sentais assez bien. Plus légère, comme libérée d'un poids trop lourd. Dans la voiture, Renaud me dit:

— Maintenant, elle va pouvoir se venger. Elle sait que je travaille à la pharmacie, elle connaît peut-être du monde qui travaille là aussi, c'est juste à côté. Facile de dire à tout le monde que je suis juste un fif!

— Je pense pas, Renaud. Quelque chose me dit qu'elle est trop correcte pour vouloir qu'on souffre. À travers tout ça, elle a jamais essayé de nous faire de mal, je vois pas pourquoi elle commencerait maintenant. Ça fitterait pas, c'est pas elle, me semble.

— Non, t'as raison. Si elle avait été aussi bitch que ça, on l'aurait pas écoeurée, c'était plus facile, justement, parce qu'elle était trop fine, trop douce. Eh, que ça me fait chier! C'est justement ceux qui le méritent le moins qui, justement, se ramassent à manger la marde.

Il avait trop raison pour que je réponde quoi que ce soit.

Chapitre 21

Existence

Le lundi suivant, c'est encore Renaud qui me conduisit à mon cours de chant. Quand je remontai dans la voiture après mon cours, j'étais excitée comme une toute petite fille. Mon professeur de chant m'avait donné le numéro de téléphone de Sarah-Jeanne parce qu'elle lui avait dit que son band cherchait un guitariste classique pour jouer en studio une de leurs nouvelles chansons. Mon professeur savait que j'en jouais et m'en avait parlé à tout hasard, ne sachant pas que je les connaissais. Je ne pouvais contenir mon excitation, et Renaud voulait que je lui téléphone tout de suite. J'étais bien trop énervée et j'avoue que mes émotions étaient comme des montagnes russes. Je n'arrêtais pas de me poser toutes sortes de questions à voix haute; je devais être excessivement énervante, mais Renaud me supportait remarquablement bien. Par exemple, je n'étais qu'une interprète, je n'avais jamais rien composé et je ne savais pas si c'était à ça que le groupe s'attendait. De plus, je me demandais si j'arriverais à jouer leur style avec naturel, si je pourrais me laisser aller suffisamment, si ma technique était au point, si ceci, si cela. Renaud s'impatientait :

— Voyons, depuis quand t'es nerveuse de même, toi ? Ça te ressemble pas ! Fais juste prendre le téléphone et appelle, tu vas tout savoir. Tu perds rien à essayer.

— Oui, mais c'est un band connu, j'ai jamais joué dans un band ! Si je *choke*, rendue là-bas ? Si ils font des shows après pis que je suis trop nerveuse ?

— Trop nerveuse, toi ? *Come on !* De toute manière, là, si j'ai bien compris, c'est en studio. Tu penseras au show après si ça marche.

— Justement ! En studio, ça coûte cher… Faudrait pas que je leur fasse perdre leur temps pour rien, sinon ils vont m'en vouloir…

— C'est pour ça qu'ils vont passer des auditions, Caro. S'ils pensent que tu peux pas faire la job, ils vont demander à quelqu'un d'autre. Et s'ils pensent que tu peux la faire, bin c'est parce qu'ils sont pas caves pis qu'ils en ont entendu d'autres. Va-tu falloir que j'appelle à ta place ?

Je saisis mon téléphone et composai le numéro avec des doigts tremblants. Sarah-Jeanne répondit d'une voix enjouée. Elle prétendit même savoir qui j'étais, se souvenir de m'avoir croisée aux cours de chant. J'étais flattée, moi qui avais cru qu'elle ne m'avait jamais remarquée ! Elle me demanda depuis combien de temps je jouais, puis elle m'expliqua que leur claviériste, Julianne, avait composé cette chanson extraordinaire, mais que leur guitariste n'était pas suffisamment à l'aise sur une guitare acoustique douze cordes pour la jouer. Tout était composé. Il ne fallait que jouer la partition en studio, d'abord, et évidemment s'il y avait des spectacles, là aussi. J'avais des palpitations et le souffle court. Je demandai à Sarah-Jeanne comment s'appelait la chanson et de quoi elle parlait. Elle me répondit:

— Ça s'appelle *Dans mon miroir* et ça parle de comment, des fois, la personne qu'on voit dans notre miroir est pas exactement qui on est ou qui on voudrait être…

J'arrêtai de respirer. C'était tellement ce que j'avais vécu au cours de la dernière année que ça ne pouvait pas être un hasard. Cette chanson était pour moi.

Sarah-Jeanne me demanda de combien de temps j'aurais besoin pour l'apprendre si elle m'envoyait la partition par courriel ce soir-là. Je lui dis que je m'arrangerais pour être prête quand elle le voudrait. L'audition aurait lieu le vendredi soir suivant… et j'avais déjà décidé que je les impressionnerais.

* * *

Quand je suis arrivée chez Sarah-Jeanne, il n'y avait qu'elle et la claviériste, Julianne. J'étais soulagée. Je n'aurais pas voulu que tout le groupe soit là, pas tout de suite. La partition que Julianne m'avait envoyée était fantastique. Complexe, mais si belle! J'avais hâte de la jouer et j'avais passé la semaine à l'apprendre pour la maîtriser le mieux possible. Je la connaissais par cœur et j'étais impatiente de savoir si la façon dont je la jouais leur plairait. J'aurais aimé entendre tous les autres instruments, mais le piano et la voix de Sarah-Jeanne suffiraient.

Elles étaient gentilles, ces filles, et me mirent à l'aise aussitôt que j'arrivai. Je leur dis que j'avais vu leur spectacle au Festival des arts et à la finale du concours de radio et que j'étais une *fan*, une vraie. C'était inhabituel pour moi d'admettre mon admiration pour quelqu'un sans ressentir la moindre jalousie ou du dépit. C'est que leur attitude, leur façon d'être inspirait le respect plutôt que la mesquinerie. Je ne sentais aucun artifice chez elles et une belle complicité entre les deux, comme si elles avaient été des sœurs.

Julianne me demanda de jouer une fois avec seulement le piano et je me débrouillai, je trouvai, assez bien. Puis Sarah-Jeanne chanta et je me laissai transporter dans la musique, cette belle ambiance de chaleur et surtout ces paroles, encore une fois, si justes et si proches de tout ce que j'avais vécu dernièrement que j'en avais des frissons.

Puis, nous avons parlé. De leurs projets, bien sûr, de leurs ambitions et des miennes. Je ne savais toujours pas précisément ce que je voulais faire de ma vie, mais je savais que ça aurait à voir avec le spectacle. J'étais très attirée par les comédies musicales à cause du fait qu'elles permettaient de jouer, mais aussi de chanter et de danser, toutes des disciplines que j'aimais. Ce soir-là, je redécouvris combien j'aimais jouer de la guitare et je trouvai enfin un sens, une utilité aux heures de gammes que j'avais pratiquées, à tous ces exercices que j'avais crus vains.

Julianne me dit qu'elles devaient rencontrer deux autres guitaristes et qu'elles prendraient leur décision avant le début de la semaine suivante puisque c'était là que débutaient les enregistrements en studio. Je passai donc des jours à espérer être choisie, obsédée par cette chanson et tout ce qu'elle représentait déjà, et à attendre un coup de téléphone qui arriva enfin. Je ne me contenais plus de joie et mes parents comprirent en me voyant sautiller partout que j'avais été choisie. Pour une fois — ce qui était aussi nouveau que mon admiration pour les filles —, je n'avais pas été si sûre de l'emporter. J'avais douté, moi qui, autrefois, étais habituée à avoir tout ce que je voulais. C'est certainement pour ça que j'appréciai encore plus cet appel !

Le vendredi soir, il y avait une pratique avec tout le groupe « et quelques proches », et j'étais aussi nerveuse qu'excitée. Quand Renaud offrit de m'accompagner, j'acceptai avec plaisir. Nous sommes arrivés assez tôt chez Sarah-Jeanne et j'ai pu m'installer tranquillement et jaser avec la chanteuse et Frédérick, le batteur, de toutes sortes de choses jusqu'à ce que les autres arrivent. Je fus encore plus intimidée de voir Cassandra arriver, même si son air de surprise la plus totale était presque comique. Je lui expliquai brièvement ce que je faisais là et elle me sourit, se disant heureuse que j'aie été choisie. Je constatai à quel point tout avait changé entre nous et je sentais que je lui devais beaucoup. J'avais commencé par les excuses, ça, je les lui devais depuis longtemps, mais je sentais que je lui devais bien autre chose : du respect et de l'admiration. Elle avait réussi malgré tout ce qu'elle avait vécu à tenir bon. J'étais contente pour elle, moi aussi, parce qu'elle avait atterri avec du monde aussi bien. Elle le méritait.

Puis, le bassiste, Simon-Pierre, et le guitariste, Olivier, arrivèrent en même temps que Julianne, et tout le monde me salua avec entrain, comme s'ils étaient réellement contents que je sois là même si nous ne nous connaissions pas du tout. Je remarquai, là aussi, la façon dont Simon-Pierre regardait

Julianne et comment elle faisait mine de ne pas s'en rendre compte, malgré ses pommettes colorées et son petit sourire. Un autre couple en train de se former, apparemment !

Olivier était un de ces gars dont le sourire a le don de vous mettre à l'aise et de vous faire sourire à votre tour peu importe votre humeur. Il était très beau et avait de super beaux yeux. Je le trouvai tout à coup très intéressant, et mon instinct de fille célibataire prit le dessus... jusqu'à ce que je le surprenne en train de regarder Cassandra comme si elle était trop belle pour lui. Dans ces yeux-là, il y avait tant de tendresse et de désir que je compris instantanément que ce gars-là n'était pas pour moi.

Après que Sarah-Jeanne ait présenté tout le monde à Renaud et à moi, nous avons commencé à jouer. Il fallait que ce soit parfait lorsque nous commencerions les véritables enregistrements, question de ne pas perdre une seule précieuse minute. Les studios se payaient très cher l'heure, et Existence n'était pas encore en position de gaspiller ne serait-ce qu'une seule minute !

Nous avons joué, rejoué et joué encore cette pièce fantastique. Le groupe a ensuite interprété d'autres pièces et je les ai écoutés, assise tout près de Renaud, laissant la magie opérer. Je regardais Cassandra et pus voir dans ses yeux, lorsqu'elle contemplait

Olivier, la même tendresse qu'il lui portait aussi, sans toutefois qu'ils arrivent à se regarder en même temps. Je trouvais ça mignon, mais ça m'agaçait aussi. Allaitent-ils niaiser comme ça longtemps?

Lorsque je me préparai à partir avec Renaud, je pris Cassandra à part et lui demandai:

— Cassandra, c'est quoi qui se passe avec Olivier?

Elle tressaillit et je compris qu'elle avait mal interprété ma question. Je la formulai autrement:

— Cassandra, qu'est-ce que vous attendez pour faire un *move*, toi et Olivier?

— Quoi? Ah, je pensais que tu voulais savoir s'il était libre...

— C'est assez clair qu'il l'est pas, je sais pas si tu fais exprès pour pas le voir, mais la façon dont il te regarde, Cass, c'est assez évident qu'il est amoureux jusqu'aux oreilles et tu me feras pas accroire que c'est pas pareil pour toi!

— Je pense que t'exagères. Y a jamais eu un gars amoureux de moi jusqu'aux oreilles, Carolanne, c'est les filles comme toi qui ont ça, pas moi. Si tu veux t'essayer avec lui, j'pourrai pas t'en empêcher...

Je me sentis un peu froissée, mais je me souvins d'une certaine Miss Parfaite qui aurait sans doute sauté sur l'occasion de se rapprocher d'un gars comme Olivier. Ça, c'était avant. Là, je regardai plutôt Cassandra dans les yeux et lui dis:

— La fille que j'étais est pas mal partie, mais y en reste juste assez pour être capable de reconnaître un gars qui tripe sur une fille pour les bonnes raisons. Je pense que c'est un bon gars, Olivier, et si je te dis qu'il est amoureux, c'est parce qu'il l'est. Et tu sais quoi?

Je pris une longue inspiration, sentis un large sourire s'étirer sur mon visage et lui répétai la phrase qu'elle m'avait dite juste avant un certain party de Noël, il y a de ça une éternité:

— Je trouve que vous allez faire un beau couple, Olivier et toi.

Je le leur souhaitai du plus profond de mon cœur et ça, vouloir du bien à quelqu'un, ça faisait vraiment du bien.

Épilogue

Est-ce que d'autres que moi savent à quel point un miroir peut mentir ? Dire que pendant toutes ces années, je me regardais en aimant celle que je voyais là. C'était facile de me fermer les yeux là-dessus, de ne pas m'attarder aux conséquences de mes gestes; de toute manière, ça aurait gâché cette image de perfection que j'aimais bien. Mon image, c'était si important ! Je ne voyais pas, non plus, qu'il y a toujours un pendant négatif aux beaux côtés des choses. Car oui, autant j'étais belle, populaire, fonceuse, autant j'étais capricieuse, jalouse et rancunière. Je détestais que d'autres fassent des choses mieux que moi, je les méprisais et trouvais toujours quelque chose de méchant à dire à leur sujet.

Il en a fallu du temps pour que je réalise qu'il y a quelque chose de l'autre côté de ce miroir, parfois quelque chose qu'on ne veut pas voir, qu'il est plus facile d'ignorer. Je ne parle pas ici d'un monde parallèle bizarre à la *Alice au pays des merveilles* ou de quelque chose d'aussi étrange, non. Juste la vérité, la vérité toute nue.

J'aimerais tant que d'autres puissent se voir ainsi dans leur propre miroir. Débarrassés du reflet artificiel, vidés des faux sourires, de la conviction qu'ils valent mieux que quiconque et surtout, qu'ils méritent toujours de sortir vainqueurs. C'est quoi, vaincre, au fond? Est-il possible de se rendre où on veut dans la vie sans nécessairement écraser tous ceux qui se trouvent sur notre chemin... ou se faire écraser soi-même? Je verrai bien. C'est maintenant mon but, de découvrir ça.

Renaud, le gars avec qui je rêvais de passer le reste de ma vie, va mieux maintenant. Simon-Pierre, le bassiste d'Existence, cherchait désespérément un colocataire pour remplacer celui qui l'avait abandonné en plein milieu de la session. C'est un tout petit appartement près du cégep, mais ni l'un ni l'autre n'y passe beaucoup de temps, alors c'est une entente parfaite. Renaud a décidé de reprendre ses études; il a envie d'être travailleur social. On est loin du joueur de foot qui voulait être prof d'éducation physique! Je lui souhaite tant de bonnes choses. Il est encore suivi par une équipe d'intervenants et il apprend tout doucement à s'accepter même si tout ça peut prendre des années remplies de hauts et de bas. Je l'adore, et je sais que c'est réciproque. Oui, notre amitié continue de se renforcer et je crois bien que ce que nous avons traversé ensemble nous a rapprochés pour toujours.

Les sessions d'enregistrement avec Existence ont

été fantastiques. Même si je ne fais pas officiellement partie du band, c'est tout comme. Tel que je l'avais pressenti, c'est une «famille» extraordinaire dans laquelle j'ai été accueillie à bras ouverts, et Renaud aussi puisque nous sommes pratiquement inséparables. Ils savent pour Renaud, et ils n'ont même pas hésité à le traiter comme un des leurs. Ah, et Cassandra a enfin commencé à sortir avec Olivier! Il était temps. Je n'en pouvais plus de les regarder se languir l'un de l'autre. Ça en devenait vraiment drôle. Comment deux personnes peuvent-elles être aussi timides? Ils font vraiment un très, très beau couple.

Quant à moi, pas d'amour dans le décor pour le moment. Mais ce n'est pas grave. Quelque chose ou quelqu'un finira bien par arriver…

Tout ce que je sais, c'est qu'aujourd'hui, quand je me regarde dans le miroir, je ne vois plus Miss Parfaite. Je vois plutôt Miss On-Verra-Bien, celle qui avance en ne tenant rien pour acquis, et c'est exactement celle que je veux voir.

Dans mon miroir

Pendant si longtemps, en me regardant
J'pensais tout savoir, j'pensais avoir raison tout l'temps

Mais celle que je pensais vouloir être
J'étais plus sûre de la reconnaître

Pendant si longtemps, en me voyant
J'me faisais croire que tout continuerait comme
avant
J'ai vu une autre fille apparaître
Celle que j'voulais vraiment être

Dans mon miroir, j'savais plus qui était là,
j'savais plus qui j'avais devant moi
Dans mon miroir, les mensonges accumulés,
se sont enfin envolés,
Mon vieux miroir s'est brisé

Pendant trop longtemps, quand j'me regardais
J'oubliais d'voir la souffrance, tout le mal que
je faisais
Mais maintenant je sais qui je suis
Et je choisis comment je vis

J'pensais qu'il me mentait, mon miroir
Mais c'est moi qui refusais de voir, et maintenant
j'peux vraiment croire
Les yeux ouverts j'ai enfin le pouvoir
D'la changer... la fille dans mon miroir

Le miroir de Carolanne

Dans mon miroir, j'savais plus qui était là,
J'savais plus qui j'avais devant moi
Dans mon miroir, les mensonges accumulés,
se sont enfin envolés,
Mon vieux miroir s'est brisé

FIN

Le service d'écoute téléphonique est offert autant aux personnes en difficulté psychologique ou morale par rapport à l'homosexualité qu'à celles intéressées par le sujet.

Les services sont basés sur l'anonymat, la confidentialité et la gratuité. L'identité des personnes est rigoureusement protégée. La personne qui appelle à Gai Écoute n'a pas à s'identifier, elle est assurée d'une confidentialité et d'un anonymat absolu.

Les écoutants et les écoutantes de Gai Écoute ont une expérience de vie homosexuelle, une formation pour l'écoute active, une grande ouverture d'esprit et une attitude dépourvue de préjugés. Leur principale motivation est celle de venir en aide aux autres.

Le service d'écoute téléphonique est offert sept jours sur sept, de 8 h AM à minuit, 365 jours par année. Accessible sans frais partout au Québec.

514 866-0103
1 888 505-1010
Abonnés de Telus : *1010
aide@gaiecoute.org
www.gaiecoute.org

« Parce que nous ne voulons plus que le suicide nous enlève nos pères, nos mères, nos frères, nos sœurs, nos fils, nos filles, nos amis, nos collègues. Nous avons déjà suffisamment souffert. T'es important pour nous. Le suicide n'est pas une option. »

Les centres de prévention du suicide sont composés de professionnels, d'intervenants qualifiés et de bénévoles formés pour accueillir toutes les demandes d'aide et répondre à tes questions. De plus, ces organisations sont très actives dans leur communauté afin de prévenir le suicide.

Si toi ou un de tes proches êtes en détresse, appelez sans frais, partout au Québec, au 1 866 APPELLE (277-3553);

Par ce numéro, vous êtes en lien avec la ressource de votre région;

Les intervenants au bout du fil sont formés et compétents;

Ils sont disponibles 24 h par jour et 7 jours sur 7;

Ils peuvent vous aider.

Pour appuyer le mouvement pour la prévention du suicide, viens signer la déclaration du projet *Ajouter ma voix* disponible sur www.ajoutermavoix.com.

À venir dans la même série

(2012)

« J'aurais jamais pensé que ça pouvait faire aussi mal, la solitude. Que ça pouvait pousser quelqu'un comme moi à être aussi stupide. Je savais pas ce que c'était, avoir peur, vraiment *peur, et d'avoir personne à qui parler, personne pour me prendre dans ses bras pour me dire que tout va bien aller.*

T'sais, Saja, même dernièrement, j'pensais que ça pouvait pas être pire.

J'me trompais.

Tu me manques tellement…

Mélodie »

L'utilisation de 5360 lb de Rolland Enviro 100 Édition plutôt que du papier vierge a réduit notre empreinte écologique de:

46 arbres;
2543 kg de déchets solides;
167 859 litres d'eau;
6609 kg d'émissions atmosphériques.

C'est l'équivalent de:
3 terrains de tennis couverts d'arbres;
52 poubelles;
480 jours de consommation d'eau d'un Nord-Américain;
les émissions atmosphériques de 2 voitures dans une année.

Imprimé sur Rolland Enviro100, contenant 100% de fibres recyclées postconsommation, certifié Éco-Logo, Procédé sans chlore, FSC Recyclé et fabriqué à partir d'énergie biogaz.